Rien n'atténuait son pouvoir sur elle

Lisa sentit le rythme de son cœur s'accélérer en voyant Slade, si grand et si rayonnant de vitalité. "Je vous avais dit que je serais là," fit-elle, sur la défensive.

"C'est vrai," convint-il d'un ton ironique. "Mais vous me racontez tellement de sornettes qu'il m'était permis d'en douter."

La mort dans l'âme, Lisa prit une profonde respiration. "Slade, il y a quelque chose dont il nous faut parler..."

"Il n'y a plus rien à dire, Lisa. La cérémonie aura lieu la semaine prochaine!"

Aux Editions Harlequin

Janet Dailey

est aussi l'auteur de

LA FIANCEE DE PAILLE (#15)
LA CANNE D'IVOIRE (#29)
LA COURSE AU BONHEUR (#31)
FIESTA SAN ANTONIO (#38)
POUR LE MALHEUR ET POUR LE PIRE (#53)
LES SURVIVANTS DU NEVADA (#64)
LE VAL AUX SOURCES (#68)
LA BELLE ET LE VAURIEN (#78)
FLAMMES D'AUTOMNE (#81)
LA VALSE DE L'ESPOIR (#97)
JE VIENDRAI À TON APPEL (#107)

Ces titres sont disponibles chez votre dépositaire.

A MENTEUR, MENTEUSE ET DEMI

Janet Dailey

PARIS • MONTREAL • NEW YORK • TORONTO

Publié en mai 1980

ISBN 0-373-49111-5

Dépôt légal 2e trimestre 1980
Bibliothèque nationale du Québec et Bibliothèque nationale
du Canada.

Imprimé au Canada—Printed in Canada

1

— Tu as fait un bon voyage depuis Baltimore, Lisa. Tes bagages sont défaits. Tu es installée dans ta chambre. Tes parents vont bien. A son accoutumée, ton frère a des problèmes avec une petite amie. Voici pour les préliminaires. Tu as un verre devant toi pour te délier la langue. Je suis maintenant curieuse de savoir la vraie raison qui t'amène à Charleston ?

Chaleureuse et enjouée, Miriam Talmage — Mitzi pour ses intimes — avait encore, à cinquante-deux ans, une chevelure très brune, dont le naturel ne faisait aucun doute pour Lisa. Elle tenait pour certain que Mitzi saurait vieillir avec autant de grâce qu'elle gardait de jeunesse de cœur.

Lisa n'avait pas vu sa tante depuis plusieurs années. Depuis le retour de Mitzi à Charleston, sa ville natale, située à l'extrême sud du littoral bas que les Caroliniens du Sud appellent le Bas Pays.

— Toi seule m'amènes à Charleston, répondit Lisa sans pouvoir retenir un sourire amusé devant la franchise brutale de la question.

— Moi ? Grand Dieu ! voilà une lourde responsabilité fit-elle en grimaçant un sourire. J'espère que tu n'es pas venue me demander conseil à propos de ta vie sentimentale. Après le fiasco de mon mariage, je suis bien la dernière à consulter sur un tel sujet.

— Tu n'es pas seule responsable de cet échec. l'oncle Simon en avait aussi sa part ! protesta Lisa en secouant sa chevelure blond-argenté au milieu de laquelle des anneaux d'or brillaient à ses oreilles.

— C'est aussi ce que dit Slade, soupira Mitzi.

Lisa se renfrogna à l'énoncé de ce nom qui représentait le véritable motif de sa visite à sa tante. Mais elle ne voulait pas le révéler avant d'avoir pris la mesure exacte de la situation.

— N'oublie pas, continuait Mitzi ; j'ai été élevée à une époque où l'on considérait le divorce comme un scandale. Ce qui explique, je suppose, que le ratage de mon mariage me donne des complexes de culpabilité. Mais Simon et moi n'étions vraiment pas faits l'un pour l'autre.

Un expression songeuse se joua dans ses yeux sombres, et des fossettes lui creusèrent les joues.

— Je l'avais épousé parce que c'était un calme, et j'ai divorcé parce qu'il était trop calme ! lança-t-elle dans un éclat de rire. Ce qui prouve mon incurable romantisme. Je m'étais laissé séduire par l'image de l'homme fort et placide qui, en fait, ne convient pas du tout à mon tempérament. Simon, lui non plus, n'étais pas tombé sur une perle. Je ne m'intéressais qu'à mon écriture, et mon incompétence aux tâches ménagères le mettait hors de lui. Il rêvait d'une épouse effacée qui lui mijote des petits plats, alors que j'étais incapable de faire bouillir de l'eau sans prendre une crise de nerfs. Nous n'étions vraiment pas faits pour vivre ensemble ! Je suis bien contente qu'il ait connu quelques années de bonheur avec sa seconde épouse, avant sa mort.

— Mais toi, Mitzi, tu as eu le temps de rencontrer quelqu'un d'autre, maintenant, fit Lisa sur un ton innocent mais avec une lueur attentive dans ses yeux vert-olive. Parle-moi un peu de tes prétendants ?

— Mais c'est qu'elle me ferait passer pour une femme fatale ; et à mon âge ! s'exclama Mitzi avec une étincelle amusée dans le regard. Je sens que tu vas me mettre le moral au beau fixe, Lisa. Comment en sommes-nous venues à parler de ma vie sentimentale, alors que je m'inquiétais de la tienne ?

— Je croyais pourtant avoir détourné habilement la question, convint Lisa avec un large sourire. C'est que je n'en ai pas pour l'instant.

— J'ai peine à le croire. Tu es devenue une femme ravissante, Lisa Talmage. Tu as hérité de ta mère sa merveilleuse chevelure blonde et ses pommettes. En revanche, ces yeux verts frangés de cils bruns te viennent du côté Talmage. Simon avait les mêmes. Ils sont vraiment ta plus grande séduction. Mais voilà que tu me donnes à nouveau le change, gronda-t-elle moqueusement. Me diras-tu enfin ce qui me vaut le plaisir de te voir ? Une querelle d'amoureux ?

— Non, vraiment rien de cet ordre. Je veux simplement échapper un peu à mon travail.

— Et ce jeune homme à qui tu étais fiancée ? insista Mitzi en penchant légèrement la tête pour mieux observer l'expression de Lisa.

— Michel ? Nous avons rompu depuis trois ans. A la fin de mes études.

Lisa prit son verre. Du bout de l'index, elle fit plonger le zeste de citron qui flottait sur son cocktail, et le regarda danser dans le liquide.

— Et pour quel motif exactement ?

— Une incompatibilité d'idées. Il voulait une épouse mondaine, flatteuse pour sa vanité. Moi, je voulais travailler. C'est pour cela que j'ai fait des études. Lui les considérait comme une planche de salut, pour le cas où il lui arriverait malheur. Il voulait une femme toute à sa dévotion et des enfants. Je ne voyais pas d'inconvénients à ce dernier point mais ne pouvais me résoudre à l'idée de vivre dans son ombre. Mieux valait nous séparer. Nous ne nous serions jamais entendus, conclut-elle avec un haussement d'épaules mais sans la moindre trace d'amertume.

— Es-tu bien certaine de ne rien regretter ?

— Tout à fait, répliqua Lisa en toute sincérité. Et je garde maintenant mes distances envers le type d'homme fort et dominateur dans le genre de Michel, avec un ego superman qui a toujours besoin d'être rassuré.

— Tu dis vouloir échapper à ton travail. Il ne correspond pas à ce que tu attendais ? demanda l'aînée des deux femmes en se laissant aller dans son fauteuil, dont le capitonnage orange cuivré contrastait agréablement avec sa tête brune. Ta dernière lettre m'a donné l'impression que tu te plaignais de tout le monde, personnel et direction ?

— Tu peux, je crois, mettre cela au compte d'un an et demi sans repos plutôt que du travail en soi, fit Lisa en se laissant également aller dans son fauteuil. Depuis que la direction de la chaîne de télévision m'a donné le feu vert pour ce nouveau spectacle, j'ai mené une vie épuisante. Epuisante, mais très satisfaisante. Sur les spectacles précédents, je n'étais qu'assistante. Celui-ci est le premier dont je sois productrice. J'ai trimé comme une brute pour faire mes preuves. En reculant mes vacances, de peur que tout ne s'écroule en mon absence. Pour finir, j'ai réalisé que c'était moi qui allais m'effondrer si je ne prenais pas un peu de repos.

— Et c'est ici que tu es venue le prendre, fit Mitzi dont la curiosité sur le choix de Lisa ne paraissait pas satisfaite.

— Charleston m'a semblé l'endroit idéal. Le temps semble couler si paisiblement ici. En plus, j'aurai le plaisir de ta compagnie, ajouta Lisa en gardant pour elle l'autre motivation de sa décision.

— Quelle qu'en soit la raison, je suis ravie de te voir. Après la vie que tu mènes à la télévision, je souhaite seulement que trop de calme ne te paraisse pas ennuyeux.

Sans laisser à Lisa le loisir de réfuter ce dernier propos, Mitzi Talmage changea de sujet avec sa rapidité d'esprit coutumière :

« Te souviens-tu de la lettre que tu m'avais écrite quand tu as commencé à travailler pour cette chaîne de télévision ? Je ne peux pas m'empêcher de rire quand j'y repense. Tu étais furieuse qu'ils aient osé de proposer d'annoncer la météo !

— C'est que j'étais une féministe militante, à cette époque ! lança Lisa dans un éclat de rire. Je me suis adoucie avec l'âge.

— Adoucie avec l'âge... ironisa sa tante. Tu dois avoir vingt-quatre ans au plus.

— Tu ne peux pas imaginer la militante braillarde que j'étais alors. Quand je songe au sermon que j'ai infligé à la compagnie pour m'avoir proposé cet emploi d'annonceuse météo, je me demande encore pourquoi ils m'ont engagée !

— C'est aussi ce que dit Slade. Je lui ai parlé de cet incident quand j'ai appris que tu venais me voir.

Crispée à la seule mention de ce nom, Lisa s'efforça de se montrer aimable :

— Je brûle de connaître ce parangon de toutes les vertus qui a nom Slade Blackwell. Tu le cites très souvent dans tes lettres.

— J'avais pensé l'inviter à dîner aujourd'hui. Mais, pour ta première soirée ici, j'ai cru meilleur que nous la passions en tête à tête. Je te promets de te le présenter bientôt. Demain soir, si cela te convient.

— J'ai cru comprendre qu'il est le fils d'un vieil ami

de famille ? interrogea Lisa d'une voix doucereuse qui se voulait désinvolte, mais par trop suave pour être sincère.

Mitzi n'eut pas l'air d'y prendre garde.

— Euh... oui, répondit-elle d'un ton absent tout en sirotant sa boisson. Je l'ai rencontré tout à fait par hasard, peu après mon retour à Charleston. Je venais tout juste de divorcer d'avec Simon. Tu t'en souviens peut-être, la mort de ma mère a suivi mon divorce de très près. J'ai passé quelques mois très pénibles, à cette époque.

— Je l'imagine, murmura Lisa.

— Slade s'est vraiment montré épatant, continua Mitzi sans entendre le faible commentaire de Lisa. Les questions d'affaires et moi n'avons jamais fait bon ménage. Non pas que je n'y comprenne rien, comme certaines femmes, mais je trouve tout cela ennuyeux et assommant. De toute façon, la situation était devenue très compliquée, entre le divorce et la liquidation de la succession familiale. Slade s'est occupé de tout pour moi. Tu sais à quel point les détails me font horreur, Lisa. J'en suis débarrassée, maintenant que Slade a pris les choses en mains. Il prépare les chèques, et je n'ai plus qu'à signer.

Lisa sentit le cœur lui manquer. Ses plus graves soupçons se confirmaient. Comment sa tante pouvait-elle se montrer si crédule ? Au cours de cette dernière années, ses lettes avaient été pleines de : « Slade affirme », « Slade suggère », ou « Slade me conseille ». Elle ne cessait de le citer comme une autorité à n'importe quel propos.

C'était sur l'avis de Slade Blackwell que Mitzi avait rouvert la maison de famille du Vieux Charleston. Lisa se souvint qu'il avait également conseillé le choix du décorateur chargé de la rénovation de l'hôtel particulier.

Son regard vert glissa sur les hauts plafonds et les précieux lambris de cyprès du salon. Elle ne trouvait rien à reprocher à cette décoration : cela ne donnait pas l'impression d'un musée où tout semble dire : « Fragile, ne pas toucher ». L'ancien et le moderne se fondaient harmonieusement, créant une ambiance chaleureuse qui invitait à la détente.

Ce décor évoquait pourtant quelque chose d'irritant. Irritant comme de savoir le jardin, au-delà de la colonnade du portique, aménagé par un architecte paysagiste, lui aussi conseillé par Slade Blackwell. A cette heure entre chien et loup d'une fin de journée du mois de mars, le jardin resplendissait de fleurs printanières : azalées, camélias et magnolias commençaient d'éclore, et le parfum du chèvrefeuille embaumait l'air. Des chênes magnifiques déployaient plus haut dans le ciel le rideau élégant de leur feuillage argenté.

La même société qui avait dessiné le jardin veillait à son entretien. Lisa ne pouvait s'empêcher de s'interroger sur les ristournes perçues par Slade Blackwell pour tout cela. Or, ces deux cas étaient seulement les plus évidents. Il devait exister d'autres sources de profit. Lisa doutait même que Mitzi vérifiât, avant de les signer, les chèques préparés par Slade Blackwell. Il pouvait la dépouiller tout à son aise.

Lisa ne put se retenir de prendre un ton légèrement soupçonneux pour demander :

— Ce Monsieur Blackwell s'occupe-t-il de toutes tes opérations financières ?

— Oui. A l'exception d'un compte privé que j'appelle mes fonds de fantaisies, répond Mitzi avec un sourire espiègle qui lui donna un air gamin.

Dieu seul savait à combien se montait sa fortune ! Dieu et Slade Blackwell. Lisa ne se serait pas hasardée à l'évaluer. Elle savait que son oncle, au moment de leur divorce, lui avait versé une somme considérable. Sa mère avait la réputation d'une femme riche. Fille unique, elle avait dû recevoir un bel héritage. Les droits d'auteur de ses romans ne représentaient pas un revenu énorme. Mais le tout conjuré, Mitzi Talmage devait pourtant posséder une jolie fortune.

Lisa remit son cocktail sur la table en marqueterie de marbre. Elle s'efforça de ne pas prendre un ton trop sec pour demander :

— Ne crains-tu pas de te montrer par trop confiante Mitzi ?

— Veux-tu dire en ce qui concerne Slade ? demanda sa tante un peu interloquée. Il n'existe pas d'homme plus honnête et digne de confiance, poursuivit-elle après un éclat de rire gai et mélodieux. Il te plaira beaucoup, j'en suis certaine. A la réflexion... fit-elle en marquant une hésitation tout en la regardant attentivement, ce n'est peut-être pas si sûr.

— Ah ? fit Lisa sur le qui-vive. Et pourquoi cela ?

— Tu disais, plus tôt, éprouver de l'aversion pour le type d'homme fort et dominateur. Ces adjectifs définissent parfaitement Slade. Bien qu'il soit également plein de charme.

Probablement quand cela l'arrange, pensa Lisa. Une femme d'âge mûr doit être une proie idéale pour Slade Blackwell. Mitzi n'a plus de famille proche : ses parents sont morts, il ne lui reste ni oncle ni tante, et son ex-mari est lui aussi décédé. L'argent qu'il ne lui vole pas de son vivant, il espère probablement en hériter après sa mort.

— Qu'a-t-il dit en apprenant que je venais te voir ?

— Rien de particulier, sinon qu'il était heureux de constater que la famille de Simon ne m'avait pas oubliée.

— Nous ne t'avons jamais oubliée !

Lisa sentait sa vague animosité contre Slade Blackwell se transformer peu à peu en colère. Il ne lui semblait plus faire de doute qu'il cherchât à isoler Mitzi pour la rendre totalement dépendante de lui seul.

— Ce n'est pas ce que je voulais dire, protesta sa tante avec un sourire. Mais tu admettras que c'était embarrassant du vivant de Simon. Il était tout de même le frère de ton père. Après notre divorce, tes parents ne pouvaient pas conserver avec moi des relations aussi intimes que par le passé. De toute façon, je ne l'aurais pas voulu.

— Pour moi, divorce ou pas, tu restes ma tante, affirma Lisa avec entêtement.

— Tu es un amour, Lisa, dit Mitzi en riant. Et moi aussi, je te considère toujours comme ma nièce. C'est pourquoi je suis si heureuse de te voir. Il y a pourtant une chose que je regrette par-dessus tout, poursuivit-elle d'un ton voilé de tristesse. C'est de n'avoir pas eu d'enfants. Mais toi et Slade remplacez la fille et le fils que je n'ai pas eus.

— Slade Blackwell serait-il de ta famille ? demanda Lisa, pensant tout à coup qu'il pourrait être un parent éloigné de Mitzi.

— Non, répondit-elle avec un rien de nostalgie. Mais son père m'avait fait la cour, naguère. Quand je suis d'humeur sentimentale, je songe parfois que, si je l'avais épousé au lieu de Simon, Slade pourrait être mon fils. Mais il ne l'est pas. Et beaucoup d'eau a coulé sous les ponts depuis ce temps-là, fit-elle avec un geste pour clore le sujet. Mais dis-moi ce que tu aimerais faire, pendant ton séjour à Charleston ?

— Je ne veux surtout pas te déranger. Je sais que tu es en plein milieu d'un roman. Continue d'écrire sans te soucier de moi. Je vais en profiter pour renouer avec quelques amies.

— Des camarades de l'université ?

— Plus ou moins, répondit-elle sans mentir.

Un plan d'action commençait à germer dans son

esprit. Son premier objectif serait de rencontrer Slade Blackwell pour essayer de voir clair dans son jeu. Bien entendu, en dehors de la présence de sa tante.

Son expérience de productrice de spectacles télévisés lui avait fourni un enseignement précieux : savoir poser des questions permettant de déterminer la sincérité des gens par leurs réponses. Slade Blackwell allait devoir répondre à pas mal de questions.

Mitzi jeta un coup d'œil sur sa montre. Elle fronça les sourcils en regardant vers la salle à manger où un petit lustre en cristal brillait au-dessus d'une table couverte d'une nappe éblouissante de blancheur.

— Ciel, il est plus de sept heures! lança-t-elle. D'habitude, Mildred sert à sept heures précises. Que peut-il bien se passer ?

La réponse à cette question se présenta à l'instant même, sous la forme de la cuisinière et gouvernante de la maison. La crispation de ses traits témoignait clairement de son exaspération.

— Le dîner ne sera pas prêt avant une demi-heure au mieux. Le four est encore en panne, annonça-t-elle d'un ton catastrophé.

— Oh, non ! gémit Mitzi. Slade n'a-t-il pas dit qu'il connaît...

— J'ai déjà téléphoné à Slade, coupa la gouvernante. Il enverra le réparateur demain à la première heure. Mais en attendant, vous dînerez en retard.

Lisa attendit que la gouvernante ait regagné la cuisine pour demander :

— Tu n'aurais pas pu appeler un réparateur toi-même, Mitzi ?

— Peut-être, répondit-elle comme si l'idée ne lui en était pas venue. Mais c'est beaucoup plus simple de le demander à Slade. Il connaît toujours quelqu'un de compétent à recommander.

Et qui, bien sûr, lui verse une ristourne sur les affaires

qu'il lui amène, pensa Lisa cyniquement. Une aussi vieille maison doit coûter cher en entretien. Lisa venait à croire au bien-fondé de ses soupçons envers Slade Blackwell.

Mildred servit finalement le dîner avec un quart d'heure de retard en plus. Ce qui n'empêcha pas les deux femmes de passer une très agréable soirée. Lisa trouva toutefois que le nom de Slade Blackwell revenait un peu trop souvent dans la conversation.

Le lendemain matin, en descendant l'escalier en colimaçon, elle entendit le staccato rapide d'une machine à écrire s'élever du rez-de-chaussée. Elle sourit de satisfaction. Sa tante travaillait à son roman, elle n'aurait donc pas d'explications à lui fournir.

Au pied de l'escalier, Lisa s'arrêta pour s'observer une dernière fois dans un grand miroir ovale. Une veste droite allongeait sa silhouette, et sa jupe, juste assez longue pour être à la mode, laissait deviner le galbe parfait de ses jambes. Elle portait un chemisier imprimé à manches longues, dont les couleurs vives s'harmonisaient au vert tendre de son ensemble.

Elle s'était prise de passion pour les chapeaux dans le courant de l'année précédente, et un turban vert ajoutait une touche sophistiquée à sa toilette. Elle rentra sous le chapeau une boucle soyeuse de cheveux blonds qui folâtrait sur sa nuque, et ajusta sur ses oreilles les fermoirs de ses anneaux d'or.

Ses yeux verts pétillaient de plaisir. Elle était satisfaite de l'image que lui renvoyait le miroir : celle d'une femme d'action, mais pourtant très féminine. Son regard glissa sur le sac à main en cuir naturel qu'elle tenait de sa main gauche. Il contenait une feuille de papier sur laquelle était écrite l'adresse du cabinet de Slade Blackwell.

Lisa ne doutait pas un instant qu'il la reçût le matin même, bien qu'elle n'eût pas pris rendez-vous. Il ne pouvait refuser sa porte à la nièce de Mitzi Talmage. Et, une fois qu'elle se trouverait en face de lui, il aurait du mal à se débarrasser d'elle.

— Vous voulez votre petit déjeuner tout de suite, mademoiselle ?

Lisa se tourna vers l'endroit d'où provenait la voix et aperçut la longue silhouette efflanquée de Mildred sur le seuil d'une porte. Elle lui sourit.

— Non, merci, Mildred. J'ai l'esprit plus clair avec l'estomac vide.

— Je vous demande pardon ?

— C'est sans importance, dit Lisa qui ne tenait pas à se lancer dans des explications. Si Mitzi me demande, dites-lui que je suis allée voir un vieil ami.

Lisa avait si souvent entendu prononcer le nom de Slade Blackwell au cours des dernières vingt-quatre heures qu'elle avait l'impression de le connaître et de le détester depuis longtemps.

— Rentrerez-vous pour le déjeuner ?

Lisa hésita un instant avant de répondre :

— Non. Je reviendrai dans le courant de l'après-midi. A quelle heure Mitzi cesse-t-elle généralement de travailler ?

— Ça dépend, mademoiselle. Ça dépend.

Devant cette réponse qui montrait une incertitude patente, Lisa retint le sourire amusé qui lui montait aux lèvres. Elle souhaita une bonne journée à la gouvernante et sortit de la maison par la porte principale en bois sculpté. L'air embaumait, et le soleil brillait. C'était une belle matinée de mars, sans vent.

Le délicieux vieil hôtel particulier était construit tout en longueur. Il ne donnait pas directement sur la rue étroite du Vieux Charleston. La porte principale ouvrait sur un portique qui courait le long d'une aile de la maison. Les talons de Lisa cliquetèrent sur la pierre tendre de la galerie jusqu'à la porte de la rue.

En la refermant derrière elle, elle entendit le roulement d'une carriole et le battement régulier de sabots. Un cabriolet attelé d'un cheval apparut au détour de la rue étroite. Les touristes assis sur la banquette, derrière le siège du cocher, l'avaient manifestement vue sortir de l'hôtel particulier et la dévisageaient comme une curiosité. Elle leur sourit et leur adressa un signe de la main, sachant qu'il la prenait pour une charlestonnienne de pure souche.

Lisa n'eut pas loin à aller pour demander le chemin de l'étude Courtney Blackwell & Fils. Slade Blackwell était, bien entendu, le « Fils ». Les bureaux de l'étude se trouvaient également dans le Vieux Charleston, dans un antique immeuble commercial dont le toit s'ornait d'une corniche ouvragée.

L'atmosphère feutrée de l'étude évoqua immédiatement pour Lisa une clientèle triée sur le volet. Un mélange de lambris en bois précieux patinés par les ans et de mobilier ancien capitonné de cuir donnait une impression de studieuse intimité.

La réceptionniste était une femme âgée aux cheveux grisonnants et à la coiffure lisse. Elle regarda Lisa pardessus des lunettes en demi-lunes et lui demanda aimablement ce qu'elle voulait.

— Voir M. Blackwell, répondit Lisa sans mentionner qu'elle n'avait pas pris rendez-vous, et qu'il ne la connaissait pas.

Bizarrement, la femme ne lui posa pas de questions et, d'un geste de la tête, désigna une porte à double battant en chêne sculpté :

— Ses bureaux se trouvent derrière cette porte.

La situation se présentait mieux que Lisa ne l'avait craint. Elle n'avait pas eu besoin de décliner le motif de sa visite. Slade Blackwell se révélait plus accessible qu'elle ne l'avait imaginé.

La porte s'ouvrit sur une petite pièce où il y avait une

table de travail, avec une machine à écrire, et des classeurs de rangement. Il s'agissait sûrement du bureau de sa secrétaire, mais il n'y avait personne en vue pour accueillir Lisa. Elle pénétra dans la pièce et referma la porte derrière elle.

Dans un coin, auprès d'un profond fauteuil en cuir, se trouvaient un porte-revues et un cendrier sur pied. Lisa se dirigea droit sur le bureau de la secrétaire. A l'exception d'un livre de rendez-vous grand ouvert, il était parfaitement rangé.

Elle lança un regard attentif sur la porte du bureau privé de Slade Blackwell. Il n'en parvenait aucun bruit, mais les murs de l'immeuble étaient épais. Avec précaution, elle tourna l'agenda vers elle pour jeter un coup d'œil sur ses rendez-vous de la journée.

Elle sursauta en entendant une porte s'ouvrir sans avertissement. Mais elle maîtrisa son haut-le-corps de surprise coupable pour détailler l'homme qui se tenait devant elle. Grand, mince et musclé, il portait un costume trois-pièces gris perle impeccablement coupé.

Lisa ressentit tout de suite un trouble physique devant lui. Le souffle lui manquait. Elle était parcourue de frissons nerveux, comme un animal qui sent le danger.

C'était là Slade Blackwell. Lisa n'avait pas besoin de plus amples présentations. Si elle s'était attendu à rencontrer le suave gentleman sudiste, chevaleresque et courtois, charmant les veuves riches avec son sourire éblouissant, elle aurait dû réviser son opinion sur-le-champ. Mais Lisa n'était pas allée jusqu'à se faire une image physique de son adversaire.

Mitzi l'avait décrit fort et dominateur. C'étaient des épithètes bien faibles, songea Lisa, pour définir l'homme qui se trouvait devant elle. Il était l'incarnation de la virilité. On aurait dit un morceau de granit venu à la vie. Il dégageait une vitalité communicative et une sensualité évidente que Lisa ressentait violemment.

Il avait le front haut et une épaisse chevelure noire comme l'ébène aux boucles indociles. Ses yeux, aussi noirs que ses cheveux, étaient perçants comme ceux de l'aigle. Des pommettes saillantes et des joues hâlées un peu creuses accentuaient le dessin volontaire de son menton. Sa bouche autoritaire évoquait un caractère inflexible et décidé. L'un de ses sourcils bien dessinés se soulevait avec un air de réprobation arrogante.

— Vous voici enfin ! lança-t-il d'une voix grave qui devait être agréable quand il parlait d'un ton moins sec. L'agence avait promis de m'envoyer quelqu'un pour neuf heures et demie. Il y a des lettres importantes qui doivent partir au plus tôt. Vous les trouverez sur le dictaphone. J'espère que vous savez vous servir d'un dictaphone.

Sur ce dernier sarcasme, il pivota sur ses talons et rentra dans son bureau.

2

Le claquement de la porte qui se refermait sortit Lisa de son ahurissement. Elle ouvrit la bouche pour rappeler Slade et leva la main dans un geste de protestation inutile. Puis elle hésita. Sa main redescendit jusqu'à sa bouche et elle se mordilla songeusement un ongle.

Et pourquoi pas ? lui demandait une malicieuse petite voix intérieure.

Slade Blackwell avait, de toute évidence, confondu Lisa avec une remplaçante à sa secrétaire habituelle. Pourquoi Lisa le détromperait-elle ? Sa secrétaire devait avoir accès à tous les dossiers. La consultation des documents personnels de Slade Blackwell représentait pour Lisa le meilleur moyen de confirmer ou de dissiper ses doutes.

Elle serait bien sotte, se dit-elle, de ne pas profiter d'un tel coup de veine. Elle n'était pas une secrétaire expérimentée mais savait taper à la machine. Pas à la vitesse d'une bonne dactylo mais, du moins, elle savait faire mieux que tapoter avec deux doigts. Et, si elle n'était pas experte à l'utilisation d'un dictaphone, elle n'ignorait pas comment le faire fonctionner. Avec un peu de chance, elle pourrait s'en tirer en improvisant au fur et à mesure.

Sa décision prise, Lisa s'installa derrière le bureau et

glissa son sac à main dans le tiroir du bas. La première chose à faire était d'annuler la demande de secrétaire. Elle n'avait, bien entendu, pas la moindre idée de l'agence à laquelle il avait pu s'adresser. Il fallait donc chercher la liste des agences dans l'annuaire du téléphone et les appeler l'une après l'autre, jusqu'à ce qu'elle tombât sur la bonne. La chance continua de lui sourire : elle trouva la bonne agence à son troisième appel.

Elle avait un autre coup de téléphone à donner. Elle composa rapidement le numéro et attendit qu'on réponde à la sonnerie en tapotant nerveusement du bout des doigts le plateau du bureau.

— Résidence Talmage, déclara enfin la voix de la gouvernante sur un ton morne.

— Mildred, Lisa à l'appareil, dit-elle en parlant doucement et rapidement. J'appelle juste pour dire que je passerai l'après-midi avec mes amies. Voulez-vous prévenir Mitzi que je rentrerai vers cinq heures.

— Est-ce qu'elle vous a avertie ?

— Avertie de quoi ? demanda Lisa en fronçant les sourcils.

— Que S... M. Blackwell, se reprit-elle de manière plus conventionnelle, vient dîner ce soir.

Nom d'un chien marmonna Lisa intérieurement : elle voyait des complications se profiler à l'horizon.

— A quelle heure l'attendez-vous ?

— Il arrive d'habitude pour l'apéritif, vers les six heures.

— Je serai de retour.

Lisa jura entre ses dents en raccrochant le téléphone. Ce n'était pas le moment de réfléchir à ce qui se passerait quand elle serait démasquée. Il fallait commencer à transcrire les lettres enregistrées sur le dictaphone, avant que Slade Blackwell ne s'inquiétât du silence qui régnait sur son secrétariat. Il lui fallut quelques minutes pour trouver du papier machine et carbone et encore quelques autres pour découvrir comment fonctionnait le dictaphone, avant de se mettre au travail.

La présentation de sa première lettre faisait vraiment travail d'amateur. Lisa dut la recommencer tout en étant interrompue par les appels téléphoniques qu'il fallait transférer à Slade Blackwell.

Les classeurs de métal semblaient l'inviter irrésistiblement à les explorer, mais elle se souvint qu'il avait précisé que les lettres étaient urgentes. Slade Blackwell ne devait pas la trouver en train de fouiller dans les classeurs alors qu'elle aurait dû être occupée à taper du courrier.

Lisa tapait la quatrième et, elle l'espérait bien, dernière lettre, quand elle entendit s'ouvrir la porte de communication. Slade Blackwell s'arrêta près du bureau et prit les lettres terminées. L'esprit tendu, elle lui jeta un coup d'œil de biais, d'un vert glacial. Elle voulut accélérer sa vitesse de frappe : erreur qui lui fit commettre une inversion de lettres dans un mot. Elle tendait la main pour prendre le liquide correcteur quand la plus longue des lettres qu'elle venait de taper fut jetée sur son bureau.

— Le mot est « minima » , mademoiselle. Pas « minimum ». Mademoiselle... ?

— Madame Elridge.

Ce mensonge lui était venu aux lèvres si spontanément qu'elle se sentit étonnée. De son auriculaire, elle tourna prestement la pierre de sa bague porte-bonheur sous l'annulaire de sa main gauche. Seul l'anneau d'or de la bague resta visible.

— Mme Ann Edlridge, paracheva-t-elle son mensonge en utilisant son deuxième prénom à la place du premier.

— Le mot revient plusieurs fois dans la lettre, madame Elridge. Il faudra que vous la retapiez.

— Bien sûr, monsieur, acquiesça Lisa avec déférence alors qu'elle grinçait mentalement des dents.

Comme il semblait attendre une explication à son erreur, Lisa dissimula sa rage sous une politesse suave :

— Je ne suis malheureusement pas très familière avec les « à-savoir » et les « considérant que » et autres termes juridiques, monsieur Blackwell.

— J'avais pourtant bien spécifié qu'il me fallait une secrétaire juridique.

— Il n'y en avait pas de disponible à l'agence. J'en suis désolée.

Elle n'osa pas le regarder en avançant cette fausse excuse. Elle savait qu'il pourrait lire dans ses yeux tout autre chose que du regret. Elle sentait son regard perçant l'étudier attentivement et voulait ignorer la sensation de malaise qu'il éveillait en elle.

— Vous portez toujours un chapeau pour travailler, madame Elridge ?

Surprise, elle se toucha la tête, et ses doigts rencontrèrent le tissu du turban qui dissimulait le blond argenté de sa chevelure. Elle l'avait totalement oublié. Une idée germa immédiatement dans son esprit.

— Seulement lorsque mes cheveux sont mal coiffés, monsieur Blackwell, répliqua-t-elle.

Cette fois, elle avait osé soutenir son regard avec un sourire dans lequel perçait une pointe de défi. Il eut un sourire en coin, comme si cette remarque lui inspirait une réflexion cynique, mais ne fit pas d'autre commentaire sur le chapeau.

— J'ai un déjeuner d'affaires. Je serai de retour vers treize heures, lança-t-il en se dirigeant vers la porte à double battant qui donnait sur le hall de la réception.

Lisa attendit d'entendre s'ouvrir et se refermer la porte principale avant de bondir de son bureau vers les classeurs. Enfin seule, elle allait finalement pouvoir chercher le dossier qui l'intéressait. Elle s'efforça de chasser de son esprit l'idée qu'elle se comportait de manière assez amorale, sinon parfaitement malhonnête.

Elle n'avait aucune expérience des sytèmes de classement. Heureusement, les tiroirs portaient des étiquettes. Lisa se mit à la recherche de celle qui pouvait indiquer la présence du dossier de sa tante. Elle eut un nouveau haut-le-corps évident en entendant s'ouvrir la porte de communication avec la réception.

Plus petit que Slade Blackwell, l'homme qui venait d'entrer paraissait à peu près du même âge, autour de trente-cinq ans. Il portait des lunettes, et Lisa soupçonna que sa façon de ramener ses cheveux bruns vers l'avant avait pour but de dissimuler une calvitie naissante.

— Hello ! lança-t-il. Vous devez être la remplaçante de Marilou ?

— Oui, monsieur, fit Lisa consciente de chevroter nerveusement. Je suis désolée, continua-t-elle en glissant son regard vers la porte de communication du bureau, mais M. Blackwell vient juste de partir déjeuner.

— Oui, je sais. Je l'ai rencontré à la réception avant son départ, répondit-il sans avoir l'air de vouloir s'en aller.

Lisa avait presque l'impression que la poignée du tiroir devenait brûlante sous ses doigts. Il lui semblait se trouver surprise en flagrant délit d'indiscrétion. Elle maudit intérieurement le stupide sentiment de culpabilité qui la mettait si mal à l'aise.

— Puis-je faire quelque chose pour vous ? demanda-t-elle poliment alors qu'elle aurait souhaité le voir aller au diable.

L'homme la dévisageait avec un plaisir manifeste, sans chercher à le dissimuler. La question directe le sortit de sa contemplation silencieuse.

— Oui, dit-il en s'avançant vers elle, je suis venu chercher le dossier Talmage.

— Le dossier quoi ? fit Lisa le souffle court.

— Talmage. Miriam, L., répéta-t-il sans paraître s'apercevoir qu'elle était devenue blême.

Elle se détourna, cherchant une excuse à laquelle se raccrocher.

— Ce sont les dossiers de M. Blackwell. Je regrette, mais j'ignore si je peux vous remettre...

— Grand Dieu ! l'interrompit-il en riant. J'ai oublié de me présenter, n'est-ce pas ? Je suis l'assistant de Slade, son clerc, ou ce qu'il vous plaira de m'appeler. Je me prénomme Drew, poursuivit-il en tendant la main à Lisa, comme dans Andrew. Drew Rutledge. Et vous... ?

— L... faillit-elle lâcher par inadvertance. Ann Elridge, se rattrapa-t-elle juste à temps. Madame Ann Elridge.

A l'énoncé de ce statut marital, Drew Rutledge, qui avait retenu la main de Lisa, la lâcha avec un sourire attristé.

— Divorcée ? Veuve ? demanda-t-il en feignant l'espoir.

Lisa fit un nouveau mensonge :

— Ce matin, quand j'ai embrassé mon mari pour lui dire au revoir, je n'étais ni l'une ni l'autre.

— C'est bien ma veine ! lança-t-il en grimaçant un sourire. Pour la première fois que voici une secrétaire ravissante dans cet endroit, il faut qu'elle soit mariée. Et heureuse en ménage, je suppose ?

— Très heureuse, mentit encore Lisa.

— Dommage, plaisanta Drew avec un soupir. Il ne me reste donc qu'à rejoindre les rangs des célibataires endurcis en compagnie de Slade.

— M. Blackwell n'est pas marié ?

Sans savoir pourquoi, elle n'avait jamais imaginé qu'il put l'être.

— Non. Nous avons toujours, en suspens depuis l'époque de nos études, un pari à celui qui sera marié le premier. Nous l'avons l'un et l'autre échappé belle à quelques reprises.

— Cela nous est arrivé à tous, fit Lisa sèchement en songeant à sa rupture avec Michel.

Mais, comme cette remarque semblait éveiller la curiosité de Drew, elle enchaîna pour réparer sa bévue :

— ... Mais quand on trouve enfin la personne qui vous convient, on ne la laisse pas échapper.

— C'est ce que j'ai ouï-dire, agréa-t-il, la curiosité s'éteignant dans son regard noisette. Eh bien ! il vaudrait peut-être mieux que je vous laisse à votre travail.

— Oui, fit-elle en s'efforçant de ne pas montrer son soulagement. J'ai pas mal à faire.

— Je vous débarrasse de ma présence dès que vous m'aurez remis le dossier Talmage.

Son espoir que Drew ait oublié le motif de son intrusion s'évanouit avec cette remarque. Elle hésita :

— Je ne sais vraiment pas si je devrais...

— Vous gardez les dossiers encore plus jalousement que Marilou ! lança-t-il dans un éclat de rire.

Trouvant dans cette dernière réplique un nouvel argument pour essayer de conserver les documents qu'elle voulait consulter, Lisa répliqua :

— Si la coutume est de ne pas laisser les dossiers sortir de ce bureau, voici une bonne raison de ne pas vous le donner.

— J'ai moi aussi du travail, fit-il avec patience, amusé de sa résistance. Mais je ne peux pas le faire sans ce dossier.

— Ecoutez, je ne suis ici qu'en remplacement, insista Lisa. Vous pourriez peut-être voir cela avec M. Blackwell après déjeuner ?

Ce qui lui laisserait le temps d'examiner les pièces qu'elle convoitait.

— C'est lui qui m'envoie le chercher ! répliqua Drew.

Il s'interrompit un instant pour scruter la couleur de sa toilette avec un regard ironique, et reprit :

— ... Il vous aurait demandé lui-même de me le communiquer, j'en suis certain, s'il avait pu se douter que, pour défendre l'approche des classeurs, vous alliez vous transformer en dragon vert.

A bout d'arguments, elle maudit intérieurement l'ironie du sort qui l'avait poussé à venir lui réclamer, plutôt que tout autre, le dossier Talmage. Elle se sentait profondément frustrée, après s'être miraculeusement trouvée si près du but, de voir lui échapper les éléments qui lui auraient permis de clore son enquête.

— Je vous promets de ne pas quitter ce dossier des yeux et de vous le rapporter dès que je n'en aurai plus besoin. Parole de scout ! fit-il en levant deux doigts.

— Très bien, convint Lisa à contrecœur.

Elle regarda les classeurs métalliques ; elle se trouvait à nouveau confrontée au même dilemme : comment savoir dans quel tiroir le trouver.

— Savez-vous où il est ? demanda-t-elle. Je ne connais pas ce système de classement.

Pas plus qu'aucun autre, aurait-elle pu ajouter, à l'exception de celui, très anarchique, de son bureau de Baltimore.

— Laissez-moi faire, proposa Drew.

Lisa s'écarta pour lui permettre de passer. Le tiroir qu'il ouvrit était précisément celui dont elle venait de retirer sa main. Le dépit de voir l'objet de sa convoitise lui échapper se lisait sur son visage.

— Ne soyez pas fâchée, la taquina Drew. Je promets de vous le rapporter demain matin à la première heure. Du moins, je l'espère, ajouta-t-il comme à la réflexion.

— Je ne suis pas fâchée, répliqua-t-elle vivement en se reprenant. Je me demandais seulement si quelqu'un d'autre viendrait me demander des dossiers, poursuivit-elle en avançant la première excuse qui lui vint à l'esprit.

— Inutile de vous inquiéter, la rassura-t-il. Il n'y a que moi, Slade et Ellen Tyler qui tient la réception. Bob Tucker, l'autre clerc de Slade, est absent. Il devrait rentrer pendant le week-end, bien que Marilou, elle, soit absente pour deux semaines.

— Marilou ? La secrétaire de Monsieur Blackwell ? Celle que je remplace ?

— Elle est aussi la femme de Bob. Il y a eu un décès dans leur famille, expliqua-t-il. D'ici deux semaines, vous serez familiarisée avec toutes les activités de ce bureau. Y compris avec le système de classement.

— Je ne serai peut-être pas là pendant deux semaines.

— Et pourquoi cela ?

— Je n'ai pas une qualification de secrétaire juridique. L'agence n'en avait pas de disponible au moment où M. Blackwell a appelé. Ils me remplaceront par quelqu'un de plus compétent dès que possible.

Ne pouvant s'empêcher de fixer le dossier qu'il tenait sous le bras, elle se détourna et regagna son bureau avant qu'il ne s'en aperçût.

— Je dirai deux mots à Slade pour qu'il vous garde jusqu'au retour de Marilou. La qualification ne compte pas beaucoup, ici. Slade aime que le travail soit fait à sa manière, qui n'est pas toujours en accord avec le conformisme.

Ce qui n'est pas pour m'étonner, pensa Lisa qui garda cette opinion pour elle et répondit :

— C'est très aimable à vous, mais M. Blackwell peut avoir une opinion différente.

— Je sais d'avance ce qu'il va me répondre. Exactement ce que dit toujours son père : je suis une vraie « poire » avec les jolies filles.

— Son père ? Le Courtney de « Courtney Blackwell et Fils » ?

— C'est cela. Le grand patron soi-même.

— A-t-il pris sa retraite ? interrogea Lisa. Vous ne l'avez pas mentionné parmi les membres de l'étude que vous m'avez cités.

— Il s'est retiré dans l'année qui a suivi celle où Slade a terminé ses études de droit, fit Drew en s'approchant du bureau de Lisa.

Il s'assit en biais sur un angle du meuble, et poursuivit :

— ... Il prétend n'avoir jamais aimé pratiquer le droit et se dit fermier dans l'âme. Mais, comme l'étude Blackwell existe à Charleston depuis plusieurs générations, il fallait maintenir la tradition. Dès que Slade a été en mesure de la perpétuer, Court est parti pour la campagne.

— Il est donc fermier ?

— Oui. Il a racheté les terres de l'ancienne plantation Blackwell, que la famille avait perdue à la suite de la Guerre de Sécession. La maison d'origine tenait encore debout, mais il a dû abattre une aile totalement irréparable. Le reste est maintenant presque entièrement restauré. C'est un endroit qui vaut le coup d'œil, assura-t-il avec un sourire.

— Je veux bien vous croire, répondit Lisa d'un ton absent, tout en s'interrogeant sur la participation de l'argent de Mitzi à cette restauration.

— Votre mari est-il jaloux ? questionna Drew de manière inattendue.

— Burt ? Non, pas particulièrement. Pourquoi ?

Lisa était ahurie de s'entendre débiter des mensonges avec autant de facilité. Elle souhaita ne pas se tromper par la suite dans les faux noms.

— J'aimerais vous inviter à déjeuner. Demain, car c'est impossible aujourd'hui. A cause de ceci, fit-il en tapotant le dossier coincé sous son bras. Je dois travailler dessus ce midi. Je demanderai à Ellen de me rapporter un sandwich.

Il la vit hésiter et plaisanta :

— ... Allons, Ann. Je ne suis pas dangereux. Regardez-moi. Je porte des lunettes et je suis petit. Du moins, pas aussi grand que Slade. Mais j'ai une forte personnalité, bien que je sois tout à fait inoffensif.

— Je n'en doute pas ! fit-elle d'un ton moqueur.

— Qu'en pensez-vous ? C'est d'accord ? demanda Drew sans se laisser décontenancer.

— Reparlez-m'en demain, répondit Lisa tout en se disant intérieurement : « Si je suis encore là ».

— Comptez sur moi ! lança-t-il en se levant du coin du bureau. En parlant de déjeuner, fit-il en jetant un coup d'œil sur sa montre, si vous ne tenez pas à sauter le vôtre aujourd'hui, il serait temps d'y aller.

Il était presque midi, et Lisa sentit son estomac commencer à protester de n'avoir pas eu de petit déjeuner. Adressant mentalement un pied-de-nez à la lettre en souffrance sur le chariot de sa machine, elle ouvrit le dernier tiroir du bureau pour prendre son porte-monnaie.

— C'est une excellente idée, répondit-elle à Drew. J'y vais tout de suite.

Devant les miettes de ce qui restait de son repas, Lisa en arrivait à la conclusion que ses mensonges l'avaient entraînée dans une situation embarrassante. Drew Rutledge avait pris les documents qu'elle voulait examiner et les rapporterait seulement le lendemain. Ce qui lui laissait le choix entre deux solutions.

La première : retourner au bureau, décliner sa véritable identité à Slade Blackwell avant qu'il ne la découvrît par lui-même.

Mais quelle explication donner au fait de ne l'avoir

pas fait plus tôt ? Elle doutait qu'il eût assez d'humour pour prendre sa mascarade en plaisanterie.

La seconde solution consistait à poursuivre la supercherie jusqu'à ce qu'elle réussît à mettre la main sur le dossier de sa tante. Mais cela impliquait un risque : se faire démasquer avant de parvenir à ses fins. Encore aurait-il fallu que Slade Blackwell ne rencontrât pas Lisa Talmage en tant que telle.

Ce qui était impossible puisque sa tante l'avait invité à dîner le soir-même. Il allait la reconnaître sur-le-champ. Et c'était elle qui aurait à donner des explications, au lieu du contraire.

Lisa soupira en regardant par la fenêtre du restaurant. Le soleil frappait la vitre sous un angle qui la transformait en surface réfléchissante. Les yeux verts de Lisa se fixèrent sur le reflet trouble de son turban. Elle se souvint de la réflexion de Slade à propos de son chapeau. L'idée qu'elle avait fait germer dans son esprit commença de se développer.

Dans un éclair, elle revit une silhouette se profiler sur l'écran de sa mémoire. Celle du facteur qui lui portait son courrier presque tous les matins, au studio de la télévision. Habituée à le voir en uniforme, elle l'avait rencontré habillé en civil, dans un magasin, sans le reconnaître.

Un déguisement subtil, voici la solution qu'il lui fallait. Lisa Talmage avait des cheveux blond-argenté qui lui tombaient sur les épaules. La couleur de ceux de Mme Ann Elridge restait pour l'instant, grâce au turban vert, inconnue. Lisa décida, après un instant de réflexion, qu'ils seraient roux.

Le roux conviendrait parfaitement à son teint clair et à ses yeux verts. Et il faisait un contraste assez grand avec sa couleur naturelle pour que, avec un peu de chance, Slade Blackwell ne pense jamais à comparer les deux femmes.

Lisa se rendit rapidement à la caisse pour régler son repas et demanda où se trouvait la plus proche boutique vendant des postiches. On lui en indiqua une, située à deux rues de là. Elle découvrit une ravissante perruque, d'un roux aux reflets flamboyants, coupée court au carré. Lisa eut du mal à se reconnaître elle-même quand la vendeuse l'eut aidée à l'ajuster.

Quand elle ressortit de la boutique, avec son turban vert à la main et un rouge plus vif aux lèvres, elle avait l'air d'une autre femme.

En passant devant une bijouterie, elle se rappela du côté « Madame » de son déguisement. Elle entra pour acheter une alliance. Elle ressortit de la boutique à treize heures dix, et troqua aussitôt sa bague porte-bonheur contre l'anneau d'or.

Elle partit rapidement vers l'étude Blackwell, tout en formant des souhaits pour arriver avant le retour de Slade Blackwell. Après s'être donné tant de mal, ce serait vraiment trop stupide, se disait-elle, de lui fournir l'occasion de la congédier pour un retard.

Ses souhaits ne se virent malheureusement pas exaucés. Elle se trouvait à quelques mètres du bureau quand elle vit Slade Blackwell arriver de la direction opposée. Ses longues enjambées le conduisirent devant la porte d'entrée avant elle. Il l'attendit en la détaillant rapidement de la tête aux pieds de son regard sombre.

— Excusez mon retard, murmura-t-elle, tout essoufflée. J'ai profité de l'heure du déjeuner pour aller chez le coiffeur, termina-t-elle, tout en se demandant s'il serait assez perspicace pour s'apercevoir qu'elle portait un postiche.

Il jeta un coup d'œil sur le turban vert qu'elle tenait à la main. Rien dans ses traits burinés ne semblait indiquer qu'il ne croyait pas son excuse.

— A cause de mon commentaire sur votre chapeau ?

demanda-t-il en ouvrant la porte et en s'effaçant pour laisser passer Lisa.

— C'est cela, admit-elle, ravie que son nez ne s'allongeât pas comme celui de Pinocchio chaque fois qu'elle mentait.

Comme elle passait devant lui pour entrer dans l'étude, elle aperçut l'ébauche d'un sourire adoucir le dessin sévère de ses lèvres autoritaires.

— Ce n'était pas une critique, Mme Elridge. Mais de la simple curiosité. Il est si rare que les femmes portent des chapeaux de nos jours !

— Je n'en porte pas souvent non plus.

Lisa Talmage portait des chapeaux, pas Ann Elridge. Cela faisait une chose de plus à se rappeler.

— Dites-moi, avez-vous le caractère qu'on prête aux rousses ? demanda-t-il de sa voix grave où pointait une note d'amusement.

— Tout le monde a son caractère, Monsieur Blackwell. A cette différence que certains l'ont plus ou moins vif.

— Et vous l'avez plus, ou moins ? railla-t-il.

— Eh bien ! Eh bien !

Cette exclamation de Drew Rutledge permit à Lisa d'ignorer la question sarcastique de Slade Blackwell.

— ... Si j'avais pu supposer que votre chapeau cachait une pareille chevelure, continuait Drew, je ne vous aurais jamais laissée déjeuner seule !

— Elle est mariée, Drew, répliqua Slade sèchement tout en continuant à se diriger vers la porte de son bureau.

— Je sais, fit Drew avec un coup d'œil complice à Lisa, comme s'il avait existé un secret entre eux. Mais ce n'est pas une raison suffisante pour qu'elle soit condamnée à déjeuner seule, ni pour que je me prive d'une heure innocente de sa ravissante compagnie.

Slade Blackwell jeta sur son assistant un coup d'œil empreint d'une amicale indulgence.

— Vous voudrez bien l'excuser, Madame Elridge. Mais Drew a un faible pour les rousses.

Pendant que Lisa rejoignait Slade Blackwell sur le pas de la porte à double battant qu'il tenait ouverte à son intention, Drew continua :

— C'est vrai. J'ai un faible pour les rousses, et Slade pour les blondes.

Et que se passe-t-il quand les deux se trouvent réunies en une seule personne ? se demanda silencieusement Lisa qui sentit un sourire amusé lui monter aux lèvres. Elle venait à peine de s'asseoir derrière son bureau quand, d'un ton sec, Slade Blackwell lui enleva toute envie de sourire :

— Comment, vous n'avez pas terminé ces lettres, Madame Elridge ? demanda-t-il, son regard sombre fixé sur la lettre en souffrance dans le chariot de la machine à écrire.

— Pas encore. Mais, se défendit-elle instinctivement, c'est que Dr... M. Rutledge est venu me réclamer le dossier Talmage peu après votre départ. Comme je ne suis pas familiarisée avec votre système de classement, j'ai mis un moment à le trouver.

— C'est un système standard, rétorqua-t-il, d'un ton laissant entendre qu'il trouvait son excuse bien piètre. Le dossier Talmage... murmura-t-il d'un air songeur, tandis qu'une lueur préoccupée s'allumait dans son regard.

— Oui, reprit Lisa, le dossier Talmage. Il m'avait affirmé que vous lui aviez donné l'autorisation de le prendre. Voulez-vous que j'aille le lui réclamer ?

— Non, c'est inutile, répliqua-t-il sans l'ombre d'une hésitation. Appelez-moi Madame Talmage au téléphone. Vous trouverez son numéro au fichier qui est sur votre bureau.

— Bien, monsieur, fit Lisa en baissant les yeux pour dissimuler son désappointement.

Elle feuilleta rapidement le fichier pour trouver le numéro de sa tante. Elle le composa en sentant une boule se nouer dans sa gorge.

— Résidence Talmage, répondit Mildred au bout de la ligne.

— Un instant, je vous prie, demanda-t-elle.

Impossible de déguiser sa voix alors que Slade Blackwell se tenait près d'elle.

— ... Vous désirez prendre la communication ici ou dans votre bureau ? lui demanda-t-elle.

— Dans mon bureau.

Il commençait à s'éloigner quand il pivota sur ses talons et la dévisagea attentivement avant de lancer :

— ... Un bon conseil, Madame Elridge. N'encouragez pas trop Drew. Sinon, il trouvera de nombreuses excuses à vous distraire de votre travail.

— Je ne l'oublierai pas, Monsieur Blackwell.

— Je l'espère bien !

Elle regarda ses larges épaules disparaître par la porte de communication. Elle rageait intérieurement du ton sceptique avec lequel il avait lancé sa dernière remarque.

Elle retira sa main du combiné du téléphone et annonça, en déguisant sa voix :

— Un instant, je vous prie. Monsieur Blackwell désire vous parler.

— Slade ? Eh bien, dites-lui de se presser. Je ne peux pas l'attendre toute la journée ! ronchonna la gouvernante.

Lisa entendit le déclic fait par l'appareil de Slade Blackwell et perçut l'écho de sa voix sur la ligne. Elle raccrocha.

3

Comme elle approchait de la maison de sa tante, Lisa trouva enfin une rue déserte. Elle s'arrêta pour retirer les épingles qui maintenaient la perruque rousse sur sa chevelure blonde. Elle rangea la perruque dans son sac à main et passa ses doigts dans ses cheveux aplatis pour leur faire reprendre du volume.

Quelles vacances ! songea-t-elle avec lassitude. Tous les muscles de ses bras, de sa nuque et de ses épaules lui faisaient mal. Elle n'avait jamais imaginé que passer une journée à taper à la machine pût être aussi fatigant. Elle se promit de recommander Donna, sa secrétaire, pour une augmentation, dès son retour à la station de télévision de Baltimore.

Elle entendit une voiture tourner le coin de la rue derrière elle et jeta un coup d'œil apeuré par-dessus son épaule. Avant de quitter le bureau, elle avait entendu Slade Blackwell annoncer à Drew qu'il se rendrait directement chez Mitzi en quittant l'étude et craignait de le voir la dépasser à chaque seconde. Elle en fut, cette fois, quitte pour la peur. Elle vit au passage que le conducteur de la voiture était un homme chauve entre deux âges.

La peur lui donna des ailes. Si elle arrivait après Slade Blackwell, tous ses plans seraient réduits à néant. Le portail en fer forgé de la rampe d'accès était encore fermé quand elle pénétra dans la maison. Son projet de grimper à toute vitesse dans sa chambre pour changer de vêtements fut entravé par sa tante. Elle apparut alors que Lisa n'avait pas encore refermé la porte d'entrée.

— Je suis contente de voir que tu ne t'es pas perdue, dit Mitzi avec un chaleureux sourire de bienvenue, vite remplacé par un regard inquiet. Mais tu as l'air épuisée, Lisa !

— La journée a été longue.

— Si j'avais pensé que tu te surmènes comme cela pour ta première journée, j'aurais attendu à demain pour inviter Slade à dîner. Mais il est trop tard pour le décommander. Il sera là d'une minute à l'autre.

— Alors, je ferais mieux de monter vite me changer.

— Ce n'est pas la peine, insista Mitzi. Avec la mine que je te vois, tu ferais mieux de t'asseoir et d'allonger tes jambes. Peut-être en prenant un verre pour te détendre.

C'était une suggestion bien tentante, mais impossible à accepter pour Lisa.

— De plus, continuait Mitzi, l'ensemble que tu portes te va à ravir. Je trouve vraiment inutile de le changer.

C'était bien là le hic. Slade Blackwell l'ayant vu pratiquement toute la journée, elle devait absolument mettre autre chose. Mais Lisa pouvait difficilement expliquer cela à sa tante.

— Un brin de toilette et une robe fraîche, et j'aurai l'air d'une autre femme ! insista Lisa qui ne souhaitait que cela.

— Comme tu voudras, agréa sa tante.

Lisa partit rapidement vers l'escalier en lançant par-dessus son épaule :

— Si ton M. Blackwell arrive avant que je descende, présente-lui mes excuses, veux-tu ?

Elle s'arrêta au pied de l'escalier pour ajouter :

— J'ai remarqué que les portes d'accès à la rampe ne sont pas ouvertes.

— C'est sans importance. Slade viendra probablement à pied. Comme à l'accoutumée.

Lisa maîtrisa un frisson rétrospectif en songeant qu'il aurait pu se trouver sur ses talons tout le long du trajet depuis le bureau. Elle grimpa l'escalier comme une flèche. Elle arrivait à la porte de sa chambre quand elle entendit s'ouvrir celle de l'entrée principale. A quelques secondes près, elle se voyait démasquée, et sa supercherie n'aurait servi à rien.

Sa chambre était spacieuse, décorée dans les verts vifs et les or. Une alcôve avait été transformée en boudoir meublé d'un canapé, d'un fauteuil et d'un secrétaire ancien. Un cagibi attenant, par le passé cabinet de toilette, était maintenant une salle de bains. Ce fut dans cette dernière que Lisa se précipita.

Faute de temps pour prendre une douche, elle se contenta de s'asperger le visage à l'eau froide pour en effacer les traces de fatigue. Elle choisit dans sa penderie une robe bleu pâle, toute simple, à large jupe. Son style et sa couleur donnaient à Lisa une apparence fragile et délicate, en contraste total avec sa tenue de la journée.

Elle retouchait son maquillage quand elle s'aperçut que le bleu de sa robe accentuait le vert de ses yeux. Mitzi avait souligné la veille au soir qu'ils étaient sa plus grande séduction. Des yeux de la même teinte de vert chez deux femmes différentes ne manqueraient pas d'éveiller l'attention de Slade Blackwell.

Mais comment changer la couleur de ses yeux ?

Avec des lunettes de soleil ! Elle ne fit qu'un bond jusqu'à son lit sur lequel se trouvait son sac à main. Elle en vida le contenu sur le couvre-lit, chaussa les lunettes et retourna rapidement s'examiner dans le miroir :

larges et enveloppantes, avec des verres bleu fumée, elles dissimulaient assez bien ses yeux pour masquer l'éclat de son regard. Ce dont elle loua le Ciel.

Elle n'avait plus aucune raison de s'attarder dans sa chambre. Elle eut un instant d'hésitation en haut de l'escalier. Le murmure des voix qui montait du salon lui noua l'estomac. Elle sentit ses mains devenir moites. Trac ou pas, il devenait impossible de repousser davantage la minute de vérité. Elle descendit, sur des jambes de coton, et entra dans le salon.

— Voilà Lisa ! Je... s'interrompit Mitzi en fronçant les sourcils. Mais pourquoi portes-tu des lunettes de soleil à cette heure-ci ? demanda-t-elle d'un air ahuri.

Slade Blackwell s'était courtoisement levé pour la saluer, mais Lisa concentra toute son attention sur sa tante. Commençant à se croire une menteuse-née, elle répondit :

— A passer si longtemps sous des lumières violentes, dans les studios de la télévision, mes yeux sont devenus très sensibles. Ce soir, ils sont un peu irrités d'avoir été exposés au soleil toute la journée. Un ophtalmologiste m'a conseillé de porter des verres fumés quand cela m'arrive.

— Tu ne m'en avais jamais parlé, s'inquiéta Mitzi.

— C'est un problème sans grande importance, un peu désagréable mais sans gravité, dit-elle pour la rassurer.

Puis elle se tourna vers Slade Blackwell. Depuis son arrivée dans le salon, elle l'avait observé du coin de l'œil. Aucune lueur dans son regard sombre ne laissait supposer qu'il eût reconnu Ann Elridge. Elle s'avança vers lui avec un large sourire :

— Vous êtes certainement Slade Blackwell, lui dit-elle. Et je suis Lisa Talmage, la nièce de Mitzi.

— Je m'en serais douté, répondit-il en lui retournant son sourire.

Un sourire qui mit sur ses traits burinés une expression chaleureuse stupéfiante. Elle sentit le souffle lui manquer. Quand il voulait s'en donner la peine, comme en ce moment, son pouvoir de séduction était immense. D'une étreinte ferme, sa main retint celle de Lisa plus longtemps que nécessaire.

— Mitzi m'avait vanté votre beauté, poursuivait-il. Elle n'a pas menti. Mais elle avait oublié de préciser que vous avez les mains froides, fit-il d'un ton railleur auquel la sonorité veloutée de sa voix ôtait toute agressivité.

— Mains froides, cœur chaud ! plaisanta Mitzi.

— Dans mon cas, je crains que ce soit un simple symptôme de mauvaise circulation, répliqua Lisa tout en arrachant sa main à la chaude étreinte de celle de Slade Blackwell.

Etreinte sous laquelle Lisa sentait fondre sa froideur. Elle commençait à comprendre l'ascendant exercé par le charme de cet homme sur la sentimentale et romanesque Mitzi. Le meilleur moyen de ne pas succomber au magnétisme irradié par Slade Blackwell était de s'en tenir à l'écart. De près, elle sentait une attraction physique irrésistible l'entraîner vers lui.

C'était là un trait de sa personnalité qu'elle n'avait pas remarqué auparavant. Mais, au bureau, il était resté distant et impersonnel, sèchement professionnel, à l'exception de sa remarque amusée sur le tempérament des rousses.

— Que voulez-vous boire, Lisa ? demanda-t-il d'un ton uni, sans même hésiter une seconde pour utiliser son prénom.

— Lisa aime le gin, intervint Mitzi Talmage. Slade a un doigté de barman pour doser les cocktails, poursuivit-elle à l'intention de Lisa.

Fatiguée comme elle était, la plus petite dose d'alcool risquait de lui embrouiller les idées. Or, Lisa tenait à conserver toute sa lucidité.

— Je préférerais un jus de fruit, demanda-t-elle.

— Vous en êtes tout à fait certaine ? fit-il, lui laissant le loisir de changer d'avis.

— Tout à fait, affirma Lisa.

Il se dirigea vers le bar roulant et, sans regarder ce qu'il contenait, annonça :

— Il y a des jus de tomate et d'orange au frais. Que prendrez-vous ?

— Tomate, répondit Lisa.

Elle le regarda verser le jus de tomate sur les glaçons, ajouter un trait de tabasco et un zeste de citron. Il n'hésita pas une seule fois sur l'emplacement d'un objet. Elle ne put s'empêcher de lui en faire la remarque sur un ton un peu sarcastique.

— Je viens souvent ici, répondit-il avec un haussement d'épaules désinvolte.

Il lui apporta son verre en la dévisageant de son regard sombre où dansait une lueur qui semblait l'interroger sur la raison de son agressivité.

— Mais pas assez souvent pour devenir importun ! lança-t-elle sans pouvoir se retenir.

— Je l'espère, répliqua-t-il sèchement.

Cette fois, il ne restait pas l'ombre d'un sourire dans son regard devenu morne. Mitzi parut ne pas remarquer le ton sarcastique de Lisa ; elle lança dans un éclat de rire :

— Vous ne pourriez jamais y parvenir, Slade ! Mildred et moi avons tellement de plaisir à vous voir que vous ne sauriez venir trop souvent. Je serais ravie que vous considériez cette maison comme la vôtre. Vous le devriez. Après tout, directement ou indirectement, vous êtes responsable de tout ce qui a été fait ici.

— Bien sûr ! Comment oublier cela ? laissa échapper Lisa.

Recherchait-elle l'échec en se faisant un ennemi de Slade et en éveillant sa suspicion ? Les psychologues ont peut-être raison de prétendre que ceux qui font le mal désirent inconsciemment être punis. Elle ne voyait plus qu'une chose : elle était allée trop loin pour faire machine arrière. Aussi continua-t-elle de persifler :

— A ce que Mitzi m'a raconté, vous êtes l'instigateur de la réouverture de cette maison. Et vous en avez supervisé la restauration et la décoration. Il semble bien naturel que vous soyez familiarisé avec tout ce qui se trouve ici.

— Une maison dans le Vieux Charleston représente un investissement. Au surplus, il eût été dommage de laisser une aussi belle demeure tomber en ruine, riposta Slade.

— Je partage totalement votre avis, repartit Mitzi. Et cela, dès la première seconde où vous en avez parlé, Slade. Mais je n'aurais jamais entrepris de le faire seule. Non pas que j'en eusse été incapable, mais tout ceci prend vraiment trop de temps. Et tu sais, Lisa, à quel point j'exècre les détails. Si Slade ne s'était pas occupé de surveiller les ouvriers et les divers corps de métier, je ne crois pas que j'aurais fait réparer cette chère vieille maison. Simplement parce que c'eût été trop de tracas.

— Oui, convint Lisa. Tu as eu beaucoup de chance que Slade se charge de tout. Depuis le retour de Mitzi à Charleston, fit-elle en s'adressant à lui avec un sourire acidulé, toutes ses lettres chantent vos louanges. Vous lui êtes devenu tout à fait indispensable.

Une expression de défi se dessina sur les lèvres de Slade Blackwell, mais ce fut d'une voix calme et posée qu'il répondit :

— Mitzi et moi nous sommes liés d'amitié. Et c'est bien un devoir de l'amitié que d'aider ses amis quand ils en ont besoin. Maintenant que Mitzi vit seule, sans un homme pour veiller sur elle, je m'efforce de lui être utile comme je peux.

— Je n'en doute pas, répliqua doucement Lisa avec une pointe d'ironie.

Il la dévisagea ouvertement d'un air songeur.

— Croyez-moi, intervint Mitzi, j'en suis très heureuse. Je ne m'intéresse ni aux affaires ni aux finances, et je refuse de me casser la tête avec les placements de fonds, les augmentations de capital ou les dividendes d'actions. C'est un grand soulagement que Slade s'en occupe pour moi. Je crains néanmoins d'abuser par trop de sa bonne volonté.

Tout en se demandant lequel abusait de l'autre, Lisa répartit :

— Cela doit être merveilleux de pouvoir se reposer sur quelqu'un aussi aveuglément. Mais n'est-ce pas une bien lourde responsabilité pour vous... Slade, trébucha-t-elle sur son prénom, de gérer pratiquement seul les investissements d'un argent qui n'est pas le vôtre ?

— En effet, c'en est une.

Lisa vit sa mâchoire se contracter et comprit que ses piques atteignaient leur cible. Elle aurait dû se modérer, songea-t-elle, tout en constatant qu'elle prenait un malin plaisir à le défier.

Elle venait de décider d'un plan de bataille hardi : pendant que Lisa Talmage l'attaquerait de front, Ann Elridge l'espionnerait subrepticement.

— Lisa me trouve trop confiante, soupira Mitzi amusée. Mais je me préfère ainsi qu'à l'inverse. Et, bien sûr, elle ne vous connaît pas aussi bien que moi, Slade.

Ainsi, les flèches invisibles de Lisa n'avaient pas échappé à l'attention de sa tante. Mais elle ne semblait pas non plus s'en inquiéter. Cependant, ses propos paraissaient implicitement réclamer une trêve.

— Tu es trop confiante, réaffirma Lisa, mais sur un ton aimable et affectueux. Pour ceux que tu aimes, il serait enfantin de te tromper.

Elle venait d'accuser Slade Blackwell de façon trop

subtile pour qu'il pût en prendre ouvertement ombrage. Mais il n'appréciait pas : c'était visible au durcissement de ses traits. Il se leva de son fauteuil, son verre vide à la main.

— Je vous en prépare un autre, Mitzi ? demanda-t-il.

— Je ne crois pas, non, répondit-elle en faisant tourner les glaçons contre les parois de son verre. Celui-ci n'est pas encore terminé. Mais que cela ne vous empêche pas de vous resservir.

— Bien volontiers, remercia-t-il d'un ton las. Dans l'ensemble, cette journée a été assez longue et fatigante.

Ça, c'est bien vrai, pensa Lisa en se remémorant l'agitation du bureau pendant l'après-midi. Les appels téléphoniques s'étaient succédé sur un rythme pratiquement ininterrompu. De nombreux clients étaient venus voir Slade, sur ou sans rendez-vous. Elle avait eu l'impression de dactylographier des lettres pendant une éternité.

— Mais je n'ai pas eu le temps de te demander comment tu as passé la tienne, Lisa, fit Mitzi en se tournant vers elle, curieuse et intéressée. Tu as laissé un message à Mildred disant que tu allais voir des amies. T'ont-elles emmenée faire du tourisme ?

— C'est ce que nous avions l'intention de faire après déjeuner, mentit à nouveau Lisa. Mais nous avons commencé à bavarder, et l'après-midi a filé sans que nous le voyions passer.

— J'ignorais que vous aviez des amies à Charleston, fit Slade.

— Des camarades de fac, lança Mitzi.

— Oui, Susan, Peg et moi partagions la même chambre à l'université, repartit Lisa en espérant qu'où elles se trouvent, elles lui pardonneraient de les mêler à sa fable. Nous avons projeté de nous promener demain toute la journée, car elles sont aussi en vacances, poursuivit-elle afin de s'établir un alibi pour justifier son absence du lendemain.

— Il faudra que tu les invites un de ces jours. J'aimerais faire leur connaissance, suggéra sa tante.

— Je te le promets, répondit Lisa avec un sourire.

Qu'aurait-elle pu dire d'autre ?

Un raclement de gorge réclama leur attention. Jetant un coup d'œil par-dessus son épaule, Lisa aperçut le visage revêche de la gouvernante qui se tenait sur le pas de la porte.

— Si vous voulez bien passer dans la salle à manger, grommela-t-elle, j' servirai la soupe.

— Nous y allons, convint Mitzi.

Slade se trouvait près d'elle pour lui offrir son bras avant même qu'elle eût quitté son fauteuil.

— C'est mon potage préféré que vous avez fait, Mildred ? demanda-t-il.

Et Lisa eut la surprise de voir la gouvernante se troubler devant l'intonation taquine de la question de Slade. Elle se détourna pour cacher le rose qui lui était monté aux joues et bougonna :

— C'est de la soupe au crabe, si c'est ça que vous voulez savoir.

Ce n'était donc pas seulement sa tante qu'il tenait sous son charme. La gouvernante y était sensible, elle aussi ! Lisa n'aurait pas cru possible que la lourde carapace d'indifférence de Mildred pût se laisser entamer par quoi ou qui que ce fût. A bien réfléchir, pendant que la gouvernante les précédait dans la salle à manger, il lui parut logique que Slade Blackwell cherchât à se concilier les bonnes grâces de cette dernière. Il lui fallait un allié dans la place pour le renseigner. Tout autant que sa tante, Mildred était sa dupe. Cet homme n'avait vraiment aucun scrupule.

Tandis que Slade avançait courtoisement sa chaise à Mitzi, Lisa les contourna pour prendre place à la droite de sa tante. Elle tâtonnait vers le dossier de sa chaise quand, à sa place, ce fut sur la main de Slade Blackwell que la sienne se posa. Elle la retira vivement, comme si elle avait touché un fer rouge. Slade se tenait derrière elle, prêt à lui avancer sa chaise. Ses yeux croisèrent le regard sombre qui semblait la défier. Elle lui jeta un bref remerciement et s'assit vivement.

Le frôlement des doigts masculins sur l'étoffe légère de sa robe fit naître en elle un long frisson : un réflexe purement physique, sans aucun rapport avec l'aversion qu'il lui inspirait. Il s'agissait d'un trouble sensuel que Lisa reconnut pour tel.

Sans pudibonderie, elle se savait un tempérament passionné. Il lui était arrivé de rencontrer des hommes qui avaient éveillé ses sens. Mais, comme elle ne leur avait pas, par ailleurs, reconnu les qualités qu'elle désirait trouver chez un homme, aucun n'avait encore réussi à lui faire perdre la tête.

Une femme avertie pouvait en valoir deux. Quelle que fût l'attirance qu'elle ressentait pour lui, elle ne se laisserait pas prendre à ce piège. Savoir la sorte d'homme qu'il était l'aiderait à garder la tête froide.

Il était assis à table en face d'elle. Perdue dans sa réflexion, Lisa n'avait pas pris garde qu'elle le dévisageait ouvertement. Ce qui ne lui avait pas échappé, car il l'observait avec une vigilance mal déguisée.

L'espace d'une seconde, elle se sentit prise de panique : en proie à l'impression qu'il avait pu suivre le cheminement de sa pensée.

Ses yeux verts, on le lui avait répété mille fois, révélaient tout de ses pensées et de ses sentiments. Ils devenaient d'un vert orageux quand elle se mettait en colère ; des millions d'étoiles y dansaient quand elle était heureuse. Une teinte fuligineuse s'y jouait quand elle se faisait du souci. Ils prenaient une mystérieuse teinte vert clair si quelque chose la fascinait ou si quelqu'un l'attirait.

Mais, grâce au ciel, l'expression de ses yeux n'avait, cette fois, rien pu révéler : les lunettes bleu fumée préservaient le secret de ses pensées. Il ignorait tout de sa vulnérabilité devant lui. Mais Ann Elridge, elle, allait devoir se surveiller. Ses yeux n'étaient pas abrités derrière des lunettes de soleil.

Mitzi relança la conversation interrompue par le passage du salon à la salle à manger :

— Mais vous disiez avoir eu une journée fatigante, Slade. C'était un jour très chargé ?

— Pas plus que d'habitude, répondit-il. Mais Bob et Marilou étant absents, ceux qui restent se trouvent devant un surcroît de travail.

— Ils sont en vacances ? demanda Mitzi en se reculant sur sa chaise pour permettre à Mildred de lui servir du potage.

— Non, les parents de Marilou ont eu un accident de voiture, expliqua Slade. Son père a été tué sur le coup, et sa mère se trouve à l'hôpital dans un état assez grave. Aussi, je me retrouve avec une secrétaire intérimaire, ce qui achève de mettre la pagaille.

— Je doute qu'elle en soit responsable, intervint Lisa en se défendant d'instinct.

— Je n'ai pas dit qu'elle en était responsable, releva-t-il sèchement. Mais c'est manifestement une débutante, alors qu'il m'aurait fallu une secrétaire bien dressée.

— Bien dressée ! s'exclama Lisa en prenant ombrage de l'expression. Vous dites cela comme s'il s'agissait d'un chien exercé à sauter à travers des anneaux sur votre commandement. Il ne vous est pas venu à l'idée qu'elle fait peut-être de son mieux ?

— Défendez-vous toujours avec autant de vivacité des gens que vous n'avez jamais rencontrés ? demanda-t-il en arquant un sourcil interrogateur.

Lisa réalisa que son morceau d'éloquence en faveur d'une soi-disant inconnue était assez démesuré. Elle plongea sa cuillère dans son potage pour essayer de se fabriquer une attitude désinvolte. Elle aurait souhaité répondre d'une voix unie, mais sa riposte fusa sur un ton cinglant :

— Disons que je prends toujours le parti des opprimés, surtout quand il s'agit d'une femme.

— Seriez-vous une de ces militantes féministes ?

La lueur moqueuse qui s'était jouée dans son regard, ajoutée à l'ironie contenue dans sa voix en posant cette question, fut trop pour Lisa.

— Et vous un de ces chauvinistes mâles ? rétorqua-t-elle, glaciale.

— Souhaiter que vous ne vous disputiez pas était, je suppose, trop espérer ! soupira Mitzi en les regardant l'un après l'autre avec une expression où le regret se mêlait à l'amusement.

— Ce n'est pas une dispute, mais un simple échange de points de vues différents, répondit Lisa qui déplorait sa véhémence, mais seulement pour lui avoir laissé libre cours devant sa tante.

— Nos points de vues ne sont peut-être pas si différents que vous semblez le croire, lui répliqua-t-il.

Il avait dit cela d'un ton qui suggérait quelque mystérieux message que Lisa aurait dû comprendre. Comme elle ne le comprenait pas, elle le lui fit savoir :

— J'en doute beaucoup.

— A vos propos, vous semblez ne pas croire que je laisse sa chance à cette intérimaire. Alors qu'il en va tout autrement, surtout si elle continue à montrer de la bonne volonté pour se mettre au courant. Mais vous ne pouvez tout de même pas me blâmer pour avoir exprimé le regret qu'elle manque d'expérience.

Les propos de Slade paraissaient si pleins de bon sens que Lisa se sentit prête à grincer des dents. Elle n'en croyait pas un mot. Elle était persuadée qu'il les avait tenus uniquement au profit de Mitzi, afin de se montrer sous un jour qui plairait à sa tante.

— Parlez-moi un peu de la remplaçante de Marilou, demanda Mitzi. A quoi ressemble-t-elle ? On dirait qu'elle vous a fait une bonne impression bien que vous la disiez débutante.

Le regard de Slade glissa un bref instant sur Lisa qui retint sa respiration. Il était sans aucun doute en train de faire une vague comparaison entre elle et son autre elle-même : Ann Elridge.

— Elle est jeune. Je suppose qu'elle doit avoir, comme Lisa, tout juste un peu plus de vingt ans. Elle a des cheveux roux vif. Elle est très jolie, avec des yeux de la couleur de...

— C'est bien typique ! lança Lisa pour l'empêcher de parler des yeux verts d'Ann Elridge par crainte que Mitzi ne fasse un commentaire sur les siens. Quand on demande à un homme de décrire une femme il se lance immédiatement dans l'énumération de ses attraits physiques. Il ne s'attarde pas à savoir si elle est intelligente. Les hommes ne savent juger une femme sur sur son apparence extérieure. Peu leur importe qu'elle soit sotte si elle est jolie.

— Lisa ! l'admonesta doucement sa tante.

Slade la regardait avec l'expression d'un adulte plein d'indulgence pour l'accès de mauvaise humeur d'un enfant. Ce qui n'était pas pour la calmer.

— Ce n'est rien, Mitzi, intervint-il. Je comprends ce que Lisa veut dire. Il se trouve que cette secrétaire est non seulement jolie mais aussi intelligente. Si je n'ai pas vanté ses compétences professionnelles, c'est qu'elle n'en a aucune. Elle sait à peine taper à la machine.

— Alors, pourquoi la gardez-vous ? le provoqua Lisa.

Ce qui était pure bravade de sa part. Lui donner l'idée

de congédier Ann Elridge correspondait à se couper elle-même l'herbe sous les pieds.

— Parce qu'elle a une étonnante capacité pour s'occuper de plusieurs choses en même temps sans se laisser distraire ni démonter. Ce qui est un avantage précieux. A son retour, Marilou trouvera peut-être un arriéré de courrier à taper, mais, au moins, cette fille ne m'aura pas, à moi, fait perdre de temps. Je ne suis pas obligé d'être sans cesse près d'elle pour tout lui expliquer.

— Si elle est aussi jolie que vous le dites, c'est peut-être dommage, le taquina Mitzi.

— Peut-être, sourit Slade, mais elle est mariée. Et heureuse en ménage, à ce qu'il paraît.

— C'est vraiment regrettable, reprit Mitzi. A vous entendre parler d'elle, on a l'impression que cette femme serait capable de partager votre intérêt pour les nombreux sujets qui vous passionnent.

— Je commence à douter de trouver jamais pareil oiseau rare, fit-il en haussant les épaules. Comment se présente votre nouveau roman ?

— A merveille ! déclara Mitzi avec enthousiasme.

Et la conversation roula enfin sur un autre sujet. Lancée sur le thème de son roman, Mitzi ne semblait pas s'apercevoir que Lisa prenait rarement la parole. Slade avait l'air de ne s'intéresser qu'aux propos de Mitzi, mais Lisa sentait, de temps à autre, peser sur elle son regard perçant.

— Nous prendrons le café dans le salon, Mildred, annonça Mitzi après le dessert. Ainsi Slade pourra ajouter un peu de cognac au sien, fit-elle avec un petit rire. Je voulais vous montrer les critiques de mon dernier livre, Slade. Elles sont dans mon bureau...

— Je vais te les chercher, proposa Lisa, ravie d'une occasion de quelques instants de solitude.

— Tu les trouveras quelque part au milieu d'une pile de papiers, sur la droite de ma table de travail, je crois.

Il y avait trois piles de papiers de toutes les formes et de toutes les dimensions sur le côté droit de son bureau. Ce fut, bien entendu, dans la dernière que Lisa découvrit la liasse de coupures de journaux. Après avoir remis le tas de papiers dans l'ordre où elle l'avait trouvé, Lisa se détournait pour sortir du cabinet de travail quand la porte s'ouvrit sur Slade.

Il entra et referma le battant derrière lui. Il la dévisagea fixement en silence. Lisa sentit son pouls s'accélérer. Sa gorge se noua. Elle restait plantée devant le bureau, incapable de dire un mot.

— C'est... c'est Mitzi qui vous envoie ? finit-elle par bafouiller, ignorant s'il y avait ou non lieu de s'inquiéter.

— Non. Je suis venu de mon propre chef, répondit-il avec un visage de marbre.

— Vous n'auriez pas dû, répliqua-t-elle en retrouvant son aplomb. Je viens juste de découvrir ces articles.

— Je vois, constata Slade avec un regard indifférent sur la liasse de coupures de presse qu'elle tenait dans sa main.

— Eh bien... bafouilla-t-elle de nouveau. Je ferais mieux de les porter à Mitzi.

Elle s'avança vers la porte dont il barrait le passage, s'attendant à ce qu'il s'effaçât pour la lui ouvrir.

— Pas tout de suite, lança-t-il sans bouger.

— Et pourquoi cela ? riposta-t-elle en s'arrêtant net, prise entre la colère et l'angoisse.

— Pas avant de m'avoir donné quelques explications.

Lisa sentit un frisson glacé lui courir le long de la colonne vertébrale.

4

Lisa blêmit. Elle sentait son assurance s'évanouir aussi rapidement que les couleurs s'étaient retirées de ses joues. Slade Blackwell avait percé sa ruse à jour. Sans même qu'elle ait pu consulter son dossier sur Mitzi ! Elle ne disposait d'aucune preuve contre lui, à l'appui de ses soupçons. Comment diable allait-elle justifier sa supercherie ?

— Des explications ? demanda-t-elle en feignant la surprise.

— Exactement ! riposta-t-il sèchement.

— Je ne comprends pas ce que vous voulez dire.

— Vraiment ? railla-t-il avec arrogance.

A un pas de la porte, il n'avait pas bougé depuis son irruption dans le cabinet de travail. Lisa avait l'impression de se trouver devant la statue de la justice. Elle sentait ses jambes se dérober sous elle et avait envie de se laisser tomber dans un fauteuil en confessant ses fautes. Mais elle ne pouvait vraiment pas les reconnaître, alors que le coupable, l'individu sans scrupules, c'était lui !

— Je trouve vos propos déroutants, répliqua-t-elle. Des explications à quel sujet ?

Il avança d'un pas. Lisa voulut reculer. Mais elle se

sentit comme un animal traqué : le grand bureau de sa tante lui barrait la retraite.

— Votre soi-disant innocence ne m'abuse pas, Lisa. J'ai horreur des gens qui fouinent dans les affaires des autres, fit-il d'un ton uni et parfaitement calme.

Lui enviant la moitié de son sang-froid, Lisa baissa les yeux sur les coupures de presse qui tremblaient entre ses doigts. Elle fit un effort pour se dominer, pour que son trouble ne fût pas trop manifeste.

— Comment pouvez-vous m'accuser de fouiner, alors que je suis venue ici sur la demande de Mitzi ?

— Vous savez fichtre bien que ce n'est pas de cela que je veux parler, riposta-t-il d'un ton toujours aussi uni.

En attendant de puiser dans son imagination fertile une raison plausible à sa supercherie, Lisa continua de s'accrocher à sa feinte ignorance :

— Il faudra donc vous montrer plus explicite, car je ne vois vraiment pas de quoi vous voulez parler.

— Eh bien, fit-il avec un regard meurtrier, je vais vous mettre les points sur les i. Mitzi croit peut-être à toutes ces balivernes sur les heurts de personnalités ou les alchimies antagonistes. Quant à moi, je ne suis pas client.

Lisa respira mieux. Il ne savait pas ! Il ignorait qu'elle était Ann Elridge ! Elle entendit bourdonner dans ses oreilles les cloches de la victoire. Elle se sentait au bord d'une crise de fou-rire. Des fossettes creusèrent ses joues dont elle mordait l'intérieur pour retenir son rire.

— Vraiment pas ? demanda-t-elle avec nonchalance.

— Pas du tout, riposta-t-il sèchement. Je ne crois ni à la haine ni à l'amour qui vous fondent dessus comme un coup de foudre. Or, l'antipathie que vous me manifestez touche à la haine, alors que nous venons à peine de faire connaissance.

— Haine est un mot un peu fort, avança Lisa qui avait retrouvé son sang-froid.

— C'est également une émotion forte, répliqua-t-il. Vous m'avez tiré dessus à boulets rouges toute la soirée, et je veux savoir pourquoi.

Le plan de Lisa consistant à l'attaquer de front, elle prit sa respiration et se lança :

— C'est très simple. A l'inverse de ma tante, vous ne m'inspirez pas confiance.

— Voilà qui ne lui a pas échappé, riposta-t-il en serrant les mâchoires.

— Croyez-vous ? J'en serais ravie, répliqua-t-elle avec un sourire aussi mielleux que le commentaire.

— A quel jeu jouez-vous ? demanda-t-il en inclinant la tête tout en gardant un visage impassible.

Cette question la déconcerta un bref instant. Elle haussa un fin sourcil qui décrivit un arc par-dessus la monture de ses lunettes de soleil.

— A quel jeu je joue ? C'est vous qui me demandez cela ?

— Ne prenez pas cet air indigné, Lisa. Je ne le trouve pas convaincant, répliqua-t-il avec un sourire railleur.

Elle explosa de colère :

— Quant à moi, vos attentions affectées et votre sollicitude hypocrite envers Mitzi, je les trouve carrément écœurantes. Quelle proie facile pour vous : divorcée, seule, apparemment sans proches parents, et riche de surcroît ! Vous pouviez même faire valoir d'anciennes relations amicales de famille.

— Le mot de l'énigme ne serait-il pas « riche » ? fit-il d'un ton moqueur.

Il ne semblait pas troublé par sa colère et s'était rapproché d'elle. Elle se sentait minuscule devant lui. Obligée de pencher la tête en arrière pour croiser son regard sombre, elle se tenait prudemment sur ses gardes contre le magnétisme de sa force virile.

— Oui, admit-elle, le mot de l'énigme est bien « riche ». Vous vous êtes mis en quatre pour vous rendre indispensable à Mitzi, et sa crédulité doit vous faire plier de rire !

— Pas vous ?

Slade BlackWell n'était pas un imbécile. Lisa n'ignorait pas qu'il ne serait pas simple de l'amener à admettre quoi que ce fût. Mais elle non plus ne manquait pas d'astuce.

— Je ne trouve pas cela drôle un instant ! rétorqua-t-elle. Vous abusez de sa confiance pour la dépouiller sans vergogne. Bien sûr, ça doit vous faire l'effet d'une douche froide de constater qu'elle n'est pas aussi seule au monde que vous l'aviez imaginé. Bien qu'elle ait été divorcée de mon oncle, mes parents et moi l'avons toujours considérée comme faisant partie de notre famille. Croyez bien que nous n'allons pas laisser un espèce d'avocaillon sans scrupules continuer à la filouter plus longtemps !

— Oh, fit Slade qui semblait franchement amusé de ses menaces. Et que comptez-vous faire pour y remédier ?

— Lui démontrer quelle sorte de rusé filou vous êtes !

— Et après ? demanda-t-il avec un regard froid où se reflétait la certitude qu'elle ne saurait y réussir.

Mais c'est qu'il ignorait l'aide que pouvait apporter Ann Elridge à Lisa Talmage.

— Après ? Que voulez-vous dire ? demanda-t-elle, ne voyant pas où il voulait en venir.

— Quel bénéfice comptez-vous en tirer ? l'éclaira-t-il calmement.

— La satisfaction que Mitzi voie enfin clair dans votre jeu.

— C'est vraiment tout ? demanda-t-il avec un sourire d'un scepticisme arrogant.

— Que voulez-vous dire ? répéta-t-elle de nouveau

en se faisant l'impression d'un disque coincé dans le même sillon, mais décontenancée par son attitude.

— Votre intention ne serait-elle pas de m'évincer afin de rester seule dans la place ?

Lisa commençait à entrevoir les implications de ses propos.

— Où voulez-vous en venir ? questionna-t-elle.

— A ceci, répondit-il, le regard vrillé sur son visage. Vous n'avez aucun lien de parenté avec Mitzi. Il ne lui reste d'ailleurs aucun proche parent. Admettons que vous soyez sa nièce préférée, mais vous n'êtes de sa famille que par alliance et, de plus, par un mariage depuis longtemps dissout par un divorce.

— Voici un détail purement technique, se défendit-elle.

— C'est, entre autres, de ce genre de détails techniques que traite ma profession, lui rappela Slade avec une pointe de sarcasme. Par ailleurs, cela fait maintenant plusieurs années que Mitzi vit à Charleston. Or, c'est la première fois que vous venez la voir.

— C'est la première fois que j'en ai le loisir.

— Ou la première fois que vous y voyez une raison ? rétorqua-t-il.

— Une raison ? Que sous-entendez-vous encore ?

— Que la motivation de votre visite n'est pas aussi immaculée que vous le prétendez, fit-il en lui jetant un regard profondément dédaigneux.

— Ma motivation ? reprit-elle, l'air incrédule.

— N'avez-vous pas décidé de cette visite après avoir constaté que mon nom revenait souvent dans les lettres de votre tante ? Jusque-là, je crois que vous étiez trop certaine de l'affection que vous porte Mitzi pour prendre la peine de rendre visite à une parente âgée. Vous préfériez vous amuser en compagnie d'amis de votre âge. L'argent vous a conduite ici, Lisa Talmage. L'argent de Mitzi.

— M'accuseriez-vous de... commença Lisa, folle de rage.

— Je me borne à dire que votre antipathie à mon égard tient à ce que Mitzi prend conseil de moi en matière d'argent, la coupa-t-il. Et je ne pense pas que cela vous inquiète pour Mitzi, mais pour vous, fit-il en continuant à l'observer d'un air méprisant.

— Quelle absurdité ! protesta Lisa. Peu m'importe ce que Mitzi fait de son argent ou à qui elle le donne ! Je ne compte pas sur un centime de sa part !

— Quelles nobles paroles ! ironisa-t-il. Mitzi vous aime assez pour les croire. Quant à moi, n'allez pas imaginer qu'elles me donnent le change... pas davantage que votre pseudo-inquiétude pour sa sécurité.

Aveuglée par la rage et à court d'arguments, ne maîtrisant plus sa colère, Lisa le gifla à la volée. Son visage était aussi dur qu'il en avait l'air. Mais, devant le courroux élémentaire qui s'inscrivait sur ses traits, elle n'eut pas le loisir de s'attarder sur la douleur cuisante de sa main.

Un silence de mort s'abattit sur la pièce. Dans ce silence, Lisa entendit son cœur battre la chamade. Sa main avait laissé une marque pâle sur le hâle de la joue, et le frémissement orgueilleux des narines de Slade laissait supposer que l'affront ne resterait pas sans vengeance.

— Je n'ai jamais frappé une femme de ma vie, gronda-t-il entre ses dents. Mais vous me donnez diablement envie de changer quelque chose à ce principe.

— Ne vous laissez donc pas arrêter par le fait que je sois une femme ! le provoqua-t-elle inconsidérément.

Elle vit une lueur meurtrière s'allumer dans ses yeux et eut un mouvement de recul qui lui fit heurter le bureau. Déséquilibrée, elle vacilla l'espace d'une seconde. Elle n'eut pas le temps de rétablir d'elle-même son aplomb : des doigts d'acier l'avaient saisie par le coude pour prévenir sa chute.

— Lâchez-moi ! lança-t-elle d'une voix glaciale.

Elle réalisa qu'elle avait parlé trop vite. Slade n'avait fait qu'avancer instinctivement une main secourable. Il l'aurait relâchée immédiatement sans cette protestation. Elle essaya de se dégager.

— Lâchez-moi ! répéta-t-elle, avec, cette fois, une note de colère désespérée dans la voix.

Elle amorça le geste de lever la main sur lui. Mais, cette fois, il était sur ses gardes. Il la saisit par le poignet et l'attira rudement contre lui. Des doigts d'acier plongèrent dans ses cheveux blond-argent et lui tirèrent violemment la tête en arrière.

Lisa laissa échapper un soupir de douleur. Soupir qu'il étouffa en écrasant ses lèvres sous sa bouche. Etroitement serrée contre son corps dur comme le granit, elle était incapable de se libérer de son étreinte puissante. La tête lui tourna sous ce baiser sauvage. Elle se sentait complètement subjuguée, incapable de lui résister. Elle avait l'impression que cette domination allait se poursuivre à tout jamais, qu'elle resterait éternellement prisonnière de l'étreinte d'acier de ses bras. A l'instant même où cette pensée lui traversait l'esprit, la force brutale qui emprisonnait ses lèvres se relâcha.

Tout engourdie, elle n'eut pas la force de faire un geste. La main qui lui avait tiré la tête en arrière avait, elle aussi, relâché sa traction sur ses cheveux. Mais Lisa ne réussissait pas à redresser la tête. Elle finit par faire un effort et ouvrit les yeux. Au travers des verres bleu fumée de ses lunettes de soleil, les traits masculins burinés et hâlés emplissaient son champ de vision.

Les joues rougies par le chaume de sa barbe, imperceptible à l'œil mais rude au contact, les lèvres brûlantes et le cœur battant la chamade, elle demanda d'une voix tremblotante :

— Me lâcherez-vous, maintenant ?

— Pas avant que nous soyons parvenus à un compromis, répondit-il sans équivoque.

— Un compromis ? reprit-elle avec colère en essayant inutilement de se dégager de son étreinte. Voilà qui est parfaitement hors de question !

— Vous en ferez pourtant un, que cela vous plaise ou non, affirma-t-il d'un ton tranchant. Ecoutez bien ce que je vais vous dire, je ne le répéterai pas deux fois. Vous allez cesser de fourrer votre nez dans des affaires qui ne vous regardent pas. Et, bien entendu, dans la vie de Mitzi !

— Sa vie me regarde, protesta Lisa.

— Vous n'êtes pas autre chose que sa gentille petite nièce de Baltimore. Tenez-vous-en à cela.

— Pendant que vous continuerez à la gruger impunément ? Ne comptez pas là-dessus !

— Je...

Mais Slade n'eut pas le loisir de poursuivre ce qu'il s'apprêtait à dire. Après trois coups légèrement toqués en guise d'avertissement, la tête brune de Mitzi apparut dans l'entrebâillement de la porte.

— Depuis le temps que vous êtes enfermés tous les deux là-dedans, je commençais à craindre que vous ne soyez en train de vous boxer. Et je venais faire l'arbitre, plaisanta-t-elle. Mais je vois que ce n'était pas à ce genre de match que vous étiez en train de vous exercer, fit-elle avec un sourire entendu en regardant Slade relâcher lentement Lisa.

Celle-ci lui jeta un regard venimeux en s'écartant de lui et, tremblante de haine contenue, lança :

— Si, c'était bien de cela qu'il s'agissait, Mitzi. Ton Slade Blackwell était en train de me rudoyer.

Il leva la main vers sa joue souffletée, regarda Mitzi et dit avec une nonchalance affectée :

— Je l'ai embrassée, mais seulement après qu'elle m'y ait pratiquement invité.

— Il veut dire que je l'ai giflé, traduisit Lisa.

— Mais, grand Dieu, pourquoi ? demanda Mitzi en riant, sans savoir comment trier la vérité de l'exagération.

— Parce que… commença Lisa.

— Parce que, coupa Slade, je la critiquais pour être restée si longtemps sans venir vous voir. Mais je n'aurais vraiment pas dû me mêler de cela et je vous prie de m'en excuser. C'est à peu près ce qui s'est passé, n'est-ce pas ? demanda-t-il à Lisa en la défiant silencieusement de son regard sombre. Où voyez-vous quelque chose à ajouter ?

Il la mettait au défi de l'accuser de voler l'argent de sa tante. Mais Lisa ne voulait rien en faire avant d'avoir une preuve pour étayer son accusation.

— Je ne vois rien à ajouter, convint-elle. Du moins pour l'instant.

Un sourire suffisant se joua sur les lèvres de Slade.

— Vous avez une nièce qui ne manque pas de personnalité, Mitzi. Elle est vraiment stimulante. Elle me donne l'impression de ne pas vouloir que je m'ennuie pendant son séjour ici.

— Je m'y emploierai, riposta Lisa.

Elle se baissa pour ramasser la liasse de coupures de presse qui étaient tombées sur le plancher et s'avança vers Mitzi.

— Je crains que ces articles ne soient assez fripés, lui dit-elle. Mais ils se sont trouvés pris au milieu de notre confrontation.

— Ils sont un peu froissés, fit Mitzi en les lissant de la main, mais pas déchirés. Le café vous attend toujours dans le salon, si cela vous intéresse encore.

Slade remonta la manche de son veston pour jeter un coup d'œil sur sa montre.

— Il se fait tard pour moi, dit-il. Mais, pour vous montrer à quel point j'ai apprécié cette soirée, j'aimerais vous rendre votre hospitalité en vous invitant, avec Lisa, à dîner demain soir. Si elle est libre, bien entendu, ajouta-t-il ironiquement.

— Ne comptez pas sur moi, fit Lisa, glaciale.

— Vous n'êtes pas libre ?

— Ce n'est pas ce que je voulais dire...

— Alors, c'est entendu. Je passerai vous prendre demain à sept heures.

— Non ! lança-t-elle.

— Elle est un peu têtue, intervint Mitzi sur un ton amusé. Bien sûr, Slade, nous dînerons avec vous. Je veux que Lisa voie le Charleston nocturne, et vous connaissez tous les bons endroits.

— Non ! fit Lisa de nouveau.

— Lisa, dit Mitzi d'un ton cajoleur.

La jeune fille était tellement éreintée qu'elle se sentait à bout de nerfs, épuisée par cet affrontement exaspérant. Slade devait avoir compris qu'elle ne voulait pas tout dévoiler sur-le-champ, et la poussait dans ses derniers retranchements. Le lendemain serait encore une journée fatigante, et elle ne pouvait tout simplement pas supporter l'idée de le voir le soir.

— Mitzi, protesta-t-elle, je vais passer toute la journée dehors, demain, avec Peg et Susan. Je ne pense vraiment pas avoir encore, après cela, le courage de sortir le soir.

— Disons donc après-demain, jeudi, proposa Slade.

— C'est cela, capitula Lisa.

D'ici là, elle comptait bien avoir découvert les preuves qui lui permettraient de le confondre.

— Quel homme exaspérant, marmonna-t-elle quand la porte du bureau se referma sur lui.

— Mais quel homme ! fit Mitzi avec une lueur amusée dans le regard. Si j'avais ton âge...

— Je t'en prie, Mitzi, implora Lisa avec un geste de protestation. Pour l'instant, Slade Blackwell représente pour moi un sujet des plus explosifs. Si tu ne veux pas me voir me volatiliser sur place, je t'en prie, parlons d'autre chose.

Lisa savait sa tante peinée de cette hostilité à peine déguisée entre deux êtres qu'elle chérissait. Mais elle savait aussi qu'il lui serait encore plus pénible de découvrir quelle sorte d'homme était Slade Blackwell en réalité. Cependant, elle en était persuadée, cela valait beaucoup mieux pour Mitzi.

Le lendemain matin, en la voyant quitter la maison à sept heures et demie, Mildred eut la certitude que Lisa était devenue complètement folle. La jeune fille avait pourtant une bonne raison à ce départ matinal : il lui fallait le temps de se faire la tête d'Ann Elridge avant d'arriver au bureau.

Quand Slade entra, il la trouva travaillant d'arrache-pied à transcrire les lettres enregistrées sur le dictaphone. Il la salua d'un bonjour indifférent, prit au passage les messages téléphoniques qui se trouvaient sur la table de travail de Lisa et passa dans son bureau. Lisa souhaita qu'il n'en sorte plus. Elle redoutait les comparaisons qu'il risquait d'établir entre Lisa Talmage et Ann Elridge, maintenant qu'il avait rencontré la première.

A chaque bruit qui s'élevait dans le bureau de la réception, Lisa jetait un coup d'œil anxieux vers la porte de communication. Drew devait rapporter le dossier de sa tante ce matin-là, et elle attendait impatiemment de mettre enfin la main dessus. Elle ne pouvait espérer continuer indéfiniment à donner le change à Slade. Plus tôt elle obtiendrait les documents convoités, mieux cela vaudrait.

La moitié de la matinée s'était écoulée quand Drew apparut enfin. Lisa était occupée au téléphone quand il pénétra dans la pièce. Elle lui lança un sourire de bienvenue, et ses yeux se mirent à pétiller quand elle aperçut le dossier dans sa main.

L'éclat de son regard ajouta un rayonnement à son sourire qui, sans qu'elle en eût conscience, coupa le souffle à Drew. Pendant qu'elle transférait l'appel téléphonique à Slade, Drew se percha sur le coin de son bureau et la dévisagea en silence.

— C'est un crime qu'une aussi ravissante personne soit mariée, déclara-t-il quand Lisa fut libre.

— Ce n'est pas l'opinion de mon mari, répondit-elle avec un léger sourire, dissimulant son impatience de lui prendre le dossier.

— C'est vrai, fit-il en hochant la tête d'un air triste. Comment s'appelle-t-il déjà ?... Burt, c'est cela, reprit-il au soulagement de Lisa qui avait oublié le prénom de son mari imaginaire. Veinard de Burt !

Lisa se dit qu'il valait mieux changer de sujet avant de se fourvoyer dans de nouveaux mensonges.

— Je vois que vous avez rapporté le dossier comme prévu, constata-t-elle.

— Intact et complet, assura-t-il en le déposant sur le bureau. Vous déjeunez avec moi, tout à l'heure ?

Les doigts de Lisa la démangeaient d'ouvrir le dossier et de prendre connaissance de son contenu. Elle avait bien du mal à dominer son impulsion. Elle allait, elle le savait bien, passer l'heure du déjeuner à examiner attentivement tous les papiers. Elle répondit :

— Cela me paraît difficile aujourd'hui.

— Allons, ayez un peu de cœur, protesta Drew d'un ton cajoleur. Faites la joie d'un pauvre célibataire pendant une petite heure.

Aucune sorte de flatterie n'eût été capable de la faire changer d'avis.

— Désolée, dit-elle, ce n'est vraiment pas possible. J'ai beaucoup de courrier en retard. Je vais déjeuner comme vous, hier : en demandant à Ellen de me rapporter un sandwich.

— Très bien, capitula-t-il de manière inattendue. Si c'est ce que vous voulez, je vais aller acheter des sandwiches, et nous ferons un petit pique-nique dans le bureau.

— Non, repartit vivement Lisa. Si vous me tenez compagnie, ajouta-t-elle pour tempérer la sécheresse de son refus, nous allons bavarder, et je n'avancerai pas mon travail. Ce ne serait vraiment pas la peine de se priver de sortir. Remettons cela à un autre jour.

— Eh bien, je pourrai toujours me consoler en me disant que vous ne m'avez pas carrément envoyé promener, fit Drew avec un profond soupir.

— C'est cela ! Et à présent, dit-elle avec un sourire, tandis que ses doigts pianotaient en direction du dossier, filez, que je puisse me remettre au travail.

— Vous êtes encore plus esclavagiste que Slade, plaisanta-t-il. Mais une esclavagiste ravissante.

Sur un clin d'œil et un salut de la main, il s'en alla. Les mains de Lisa s'abattirent sur le dossier comme sur une proie. Elle l'ouvrit et jeta un coup d'œil sur le premier document. Cela ressemblait à une procuration.

Elle n'eut pas le loisir de l'examiner plus avant. Le bruit d'une poignée de porte qui tournait sonna l'alerte. Elle venait tout juste de refermer le dossier quand Slade Blackwell pénétra dans la pièce. Une lueur de curiosité s'alluma dans son regard sombre en la voyant sursauter. Comme si cela le divertissait, une expression amusée adoucit sa belle bouche volontaire, et il demanda :

— Vous avez des ennuis, Madame Elridge ?

— Non. Je... je ne vous avais pas entendu, c'est tout.

Elle crispait nerveusement les doigts sur la couverture rigide du dossier. Le regard de Slade glissa sur sa main.

— Qu'est-ce que c'est ? demanda-t-il.

— Oh... euh... ça ? répondit-elle tout en se disant qu'elle devait cesser de bafouiller comme un enfant pris en faute. Le dossier Talmage. Drew vient de le rapporter, et je m'apprêtais à le ranger dans le classeur.

— Inutile, répliqua-t-il en tendant la main. Je le prends. Il y a deux ou trois choses là-dedans que je veux vérifier.

« Non ! » hurla-t-elle intérieurement en resserrant convulsivement son étreinte sur le dossier, pendant qu'elle demandait :

— Tout de suite ?

— Bien sûr, tout de suite, fit-il d'un ton froidement amusé.

Consciente du ridicule de sa question, Lisa le lui tendit à regret.

— Vous désirez quelque chose d'autre ? demanda-t-elle en retrouvant un ton conventionnel.

— Non. Rien d'autre.

Son regard s'attarda un instant sur elle avant de se poser sur le dossier qu'il tenait dans sa main, et il rentra dans son bureau.

Lisa commençait à craindre de ne jamais réussir à consulter ce dossier qui lui échappait pour la deuxième fois.

5

Quand vint le soir, les craintes de Lisa avaient fait place à l'inquiétude. Elle avait attendu toute la journée que Slade lui rendît le dossier pour le classer. A l'heure du déjeuner, elle s'était même glissée dans son bureau en son absence, dans l'espoir de le trouver, mais sans succès. Il avait fermé l'un de ses tiroirs à clé, et emporté son attaché-case. Lisa en avait conclu que l'objet de sa convoitise devait se trouver dans l'un de ces deux endroits.

Elle avait prétexté du travail à terminer afin de rester seule dans les locaux de l'étude pour reprendre sa fouille. Mais Slade avait déjoué son plan en lui disant qu'il ne restait rien à faire qui ne pût attendre au lendemain. Morte de fatigue, Lisa aurait dû lui être reconnaissante de cette attention, mais sa frustration était trop grande pour y songer.

Elle soupira de désenchantement en se glissant dans un peignoir-kimono de soie brune, brodé de motifs ivoire. Un long bain moussant avait atténué ses douleurs musculaires mais était resté impuissant à chasser la trouble lueur inquiète qui assombrissait le vert de ses yeux. Ann Elridge tenait un rôle qui devenait chaque jour plus risqué.

Elle ouvrit la porte de sa garde-robe mais s'en

détourna aussitôt. Elle ne se sentait pas d'humeur à s'habiller, bien que Mitzi l'attendît en bas. La soie de son peignoir bruissait doucement sur ses hanches pendant qu'elle s'avançait pieds-nus vers la porte de sa chambre.

Sa tante ne se formaliserait probablement pas d'un manque de cérémonie. Une soirée de calme flânerie, voilà ce dont elle avait besoin. Mitzi n'y verrait certainement pas d'objection.

Elle tendait la main vers la rampe sculptée de l'escalier quand un bruit la fit stopper net, un pied en équilibre sur la première marche. Séduisant et irradiant de vitalité, Slade Blackwell se tenait au bas des marches. A sa vue, Lisa se pétrifia. D'un geste machinal, elle resserra son peignoir autour de sa taille.

Il la détailla de la tête aux pieds d'un regard insolent. Elle rougit en réalisant que l'étoffe souple de son kimono moulait étroitement ses formes et révélait qu'elle ne portait rien en dessous.

Elle sentit sa peau devenir brûlante sous la caresse de son regard, moqueur mais appréciateur. Elle relâcha immédiatement son peignoir, et étendit ses doigts pour essayer de dissiper la tension soudaine qui l'assaillait.

— Que faites-vous ici ? finit-elle par lui demander sur un ton de défi né de son embarras.

— Je ne crois pas que cela vous regarde. C'est Mitzi que je suis venu voir, répondit-il calmement.

— Pourquoi ?

— Je viens de vous le dire, cela ne vous regarde pas. Slade continuait à la déshabiller du regard avec la désinvolture arrogante qui semblait lui être naturelle. Ce regard procurait presque à Lisa l'impression d'un contact physique qui la bouleversait. Elle comptait bien ne pas le laisser voir. L'inconvénient de la légèreté de sa tenue représentait un désagrément suffisant en lui-même.

— Mitzi est ma tante. Ce qui fait que votre présence ici me regarde, répliqua-t-elle.

— La relation de juriste à client ne reconnaît pas votre droit. Pour autant que vous en ayez un.

— Où est Mitzi ? demanda Lisa.

— Elle a égaré ses lunettes et est en train de les chercher. Pourquoi ne descendez-vous pas me tenir un peu compagnie ?

— Je ne suis pas ha...

Le mot « habillée » mourut sur ses lèvres. Elle était d'ordinaire plus prompte à comprendre les sous-entendus. Pour la compagnie à laquelle il avait fait allusion, point n'était besoin de vêtements, comme son gloussement moqueur le lui confirma.

— Vous êtes répugnant ! siffla-t-elle entre ses dents.

Mais Slade ne sembla pas prêter attention à ce commentaire désobligeant. La tête penchée de côté, il l'étudiait avec un intérêt apparemment nouveau, étonné et curieux.

— Il y a quelque chose de différent en vous, fit-il d'un air songeur. Ce sont peut-être vos yeux sans lunettes de soleil.

Lisa se raidit. Il ne pouvait pas voir la couleur de ses yeux à cette distance, pas avec la volée de l'escalier qui les séparait. Mais sa remarque lui fit tout de même l'effet d'une douche glacée.

— Il n'y a rien de différent en vous ! lança-t-elle sur la défensive. Dites à Mitzi que je descendrai après votre départ.

Pivotant sur ses talons, elle retourna rapidement vers sa chambre, tremblant rétrospectivement de peur. Elle venait de frôler le désastre de près, de bien trop près.

Quand Slade sortit de son bureau personnel, Lisa se pencha sur sa machine à écrire et fit semblant de relire une lettre partiellement tapée. Il s'arrêta un court instant près de son bureau.

— Je vais déjeuner, Madame Elridge. Je serai de retour peu après une heure, dit-il.

Après avoir failli se faire démasquer la veille au soir, Lisa s'efforçait de ne pas le regarder en face. Elle voulait éviter, par une expression, un geste, de lui rappeler une attitude familière. Même à cet instant, où il s'adressait directement à elle, elle gardait la tête baissée, feignant de se concentrer sur son travail.

— Bien, Monsieur Blackwell, répondit-elle d'un ton délibérément absent.

Ses yeux verts le regardèrent s'éloigner à travers l'écran de ses longs cils bruns. Son emploi du temps comportait un déjeuner d'affaires, mais il n'avait pas emporté son attaché-case. Cela signifiait qu'il l'avait laissé dans son bureau.

Depuis la pièce de la réception, elle l'entendit parler avec Drew. Elle reprit rapidement la frappe de sa lettre. Elle la retira du chariot de sa machine à écrire quand elle entendit s'ouvrir et se refermer la porte de la rue. Slade était parti.

Elle sépara le double de la lettre de l'original et le mit de côté. Prenant l'original et le reste du courrier prêt pour sa signature, elle se rendit dans le bureau de Slade.

Le luxueux attaché-case se trouvait par terre, derrière son fauteuil pivotant. Lisa déposa le courrier sur le bureau et se pencha pour ouvrir l'attaché-case. Ses mains tremblaient en ouvrant la serrure.

Elle se faisait l'impression d'une voleuse et dut, pour s'encourager, se rappeler que c'était lui le véritable voleur. Son oreille restait cependant attentivement à l'écoute de tout bruit d'invasion du bureau extérieur.

Le dossier de sa tante ne se trouvait pas dans l'attaché-case. Lisa se redressa et regarda avec agacement le monceau de papiers et de dossiers étalés sur le bureau. Elle se mit à la recherche de ce qui l'intéressait au milieu de ce fouillis.

— Que faites-vous, Madame Elridge ? demanda la voix tranchante de Slade.

Pendant une seconde de panique, Lisa fut ahurie qu'il ait pu arriver aussi silencieusement. Il l'observait avec un regard impitoyable qui la mit très mal à l'aise.

Elle humecta nerveusement ses lèvres et, s'efforçant de sourire, répondit :

— J'ai apporté quelques lettres pour votre signature.

Mais cela n'expliquait pas pourquoi il l'avait trouvée en train de fouiller dans ses autres papiers, et son silence le lui remémora.

« V... votre bureau est dans un tel désordre... je voulais ranger un peu.

— Je vous en remercie, fit-il d'une voix glaciale, mais je préfère mon fouillis. Aussi étrange que cela puisse vous paraître, je m'y retrouve très bien.

Lisa recula, butant du pied contre l'attaché-case. Quelques instants plus tôt, elle aurait eu bien autre chose à expliquer.

— Je suis désolée, répondit-elle. Je pensais bien faire.

— A l'avenir, contentez-vous de tenir en ordre le bureau du secrétariat, fit-il sèchement mais semblant accepter son excuse. Voulez-vous me passer mon attaché-case ?

— Bien sûr.

Les nerfs à fleur de peau, Lisa dut contourner le bureau pour le lui remettre.

— Il est près de midi, lui dit-il. Puisque vous avez terminé le courrier, partez donc déjeuner tout de suite.

Il s'effaça courtoisement pour la laisser passer. Il l'attendit dans le bureau du secrétariat, et elle dut abandonner tout espoir de reprendre sa fouille pendant l'heure du déjeuner. Elle rangea ses affaires au petit bonheur, attrapa son sac et sa veste et le précéda jusqu'à la porte de l'immeuble. Quand il se séparèrent dans la rue, Slade la salua d'un bref signe de tête.

Lisa travailla tard, mais Slade plus tard encore. Il était six heures passées quand elle entra en trombe dans la maison de Mitzi. Sa tante ne se montra pas, et Lisa fut ravie de n'avoir pas à raconter sa journée.

Il lui restait moins d'une heure pour se préparer avant l'arrivée de Slade. Elle prit son bain et se remaquilla en un temps record.

Son choix de vêtements se limitait à la robe bleue qu'elle avait déjà portée et à un ensemble pantalon de soie d'une teinte champagne très proche du blond argenté de ses cheveux. Une pointe de vanité la fit pencher pour l'ensemble pantalon plutôt que pour une robe dans laquelle Slade l'avait déjà vue.

Elle sortit précipitamment de sa chambre à sept heures dix et trouva Slade qui l'attendait au pied de l'escalier.

— Navrée d'être en retard, fit-elle dans un souffle.

Ce soupçon d'essoufflement dans sa voix était dû entièrement, s'assura-t-elle, à la hâte de ses préparatifs.

— C'est parfait, fit-il en la prenant par le coude sans lui laisser ralentir le pas. Ma voiture est garée dans la rue.

Comme il la contournait pour aller lui ouvrir la portière,il la dévisagea rapidement. Elle avait de nouveau les yeux abrités derrière ses lunettes de soleil.

— Vous portez de nouveau ces lunettes ?

— J'ai trop pris de soleil aujourd'hui.

— Vous semblez avoir un penchant à tout faire avec excès, répliqua-t-il sèchement.

« Ça ce n'est pas faux ! » pensa Lisa. Ce qui avait commencé par une vague inquiétude pour sa tante, s'était transformé en véritable entreprise d'espionnage. Cela lui aurait paru beaucoup plus drôle si elle-même ne s'était trouvée prise à son propre piège. Mais elle n'avait jamais, de sa vie, pu faire quoi que ce fût à moitié. Avec elle, c'était toujours tout ou rien.

Leurs couleurs chatoyantes estompées par la lumière crépusculaire, les fleurs des azalées embaumaient l'air du soir de leur parfum. Le feuillage des chênes projetait des ombres sur la Lincoln garée au bord du trottoir, le long de la chaussée parallèle au portique.

— Je vais laisser le siège avant à Mitzi, dit Lisa quand Slade lui ouvrit la portière.

Elle avait l'intention de passer la soirée avec une discrétion de souris, à observer, à parler aussi peu que possible.

— Il est trop tard, décréta-t-il en la propulsant plus ou moins sur le siège avant et en claquant la portière sur elle.

Lisa pivota sur elle-même dans le siège profilé recouvert de velour bleu-nuit, et lança :

— Mitzi, je...

Il n'y avait personne à l'arrière.

— Où est Mitzi ? demanda-t-elle à Slade qui se glissait derrière le volant.

— Elle ne vient pas.

— Comment ? Et pourquoi cela ? demanda-t-elle, le regard fixé sur son profil volontaire.

— L'héroïne de son roman se trouve en danger, et elle ne veut pas le lâcher avant que son héros ait trouvé le moyen de la sortir de là.

Il tourna la clé de contact sans détourner les yeux vers Lisa.

— Vous avez combiné cela avec Mitzi, siffla-t-elle entre ses dents.

Il lui jeta un regard moqueur.

— Vous me croyez un pouvoir illimité sur Mitzi je sais, ironisa-t-il. Mais, contrairement à ce que vous pouvez penser, je n'exerce aucun contrôle sur les rebondissements de sa création littéraire. Rien au monde, ce soir, n'eût été capable d'arracher Mitzi à sa machine à écrire.

— Vous n'imaginez tout de même pas me faire avaler cela ?

— Croyez ce qu'il vous plaira, fit-il en haussant les épaules.

— Eh bien ! Je ne vais certainement pas sortir seule avec vous !

Elle s'aperçut alors que la voiture roulait, glissant le long d'une rue étroite dans le ronronnement presque silencieux de son puissant moteur. Ils se trouvaient déjà à bonne distance de la maison de Mitzi.

— Faites demi-tour immédiatement. Je veux rentrer, ordonna-t-elle sèchement.

— Non.

Furieuse, Lisa chercha le long de l'accoudoir le bouton de verrouillage de la portière. Son siège glissa, la vitre de son côté s'ouvrit en même temps qu'une autre, avant qu'elle entendît enfin le déclic d'ouverture du verrouillage.

Elle tendait la main vers la poignée de la portière, quand son bras fut saisi dans un étau. Elle essaya de se dégager, mais l'étreinte glissa le long de sa manche soyeuse et se referma sur sa main.

— Laissez-moi partir !

— Vous pourriez au moins attendre que j'arrête la voiture, fit Slade d'un ton sarcastique. Ou bien avez-vous l'intention de vous rompre le cou ?

— Alors, arrêtez !

— Impossible pour l'instant, il y a une voiture derrière nous. Il vous faudra attendre que je puisse me garer, fit-il avec un calme exaspérant.

La rue ne s'élargit pas, et ils finirent par déboucher sur le boulevard Battery. Slade garda la main de Lisa fermement serrée dans la sienne jusqu'au moment où il eut garé la voiture le long du trottoir. A peine l'eut-il lâchée que Lisa bondit hors du véhicule. Elle l'entendit couper le moteur, et sa portière claqua.

Elle partit en courant dans le jardin de White Point. Mais son espoir de se dissimuler sous le couvert des arbres se vit déjoué par la couleur claire de son ensemble. Il fut près d'elle en quelques secondes et la saisit par le poignet.

— Je croyais avoir exprimé clairement que je ne voulais pas de votre compagnie ! lança-t-elle. Je n'irais même pas au paradis avec vous !

— Vous dramatisez, Lisa, fit-il, sèchement indulgent.

— C'est vous qui m'y poussez ! Vous savez très bien que, sans Mitzi, je n'aurais jamais accepté de dîner avec vous ce soir. C'est pourquoi vous m'avez entraînée si rapidement vers la voiture, sans m'informer que Mitzi avait décliné votre invitation. Comment avez-vous pu imaginer que j'accepterais de sortir seule avec un fourbe de votre espèce ?

— Nous avons à parler.

— De quoi ? Du personnage méprisable que vous êtes ?

— J'ai une secrétaire rousse qui a pourtant un tempérament moins volcanique que le vôtre ! fit Slade avec un éclat de rire moqueur.

L'inquiétude la rendit silencieuse l'espace d'une seconde.

— Alors, invitez-la donc à dîner. En dépit de tout ce que vous avez pu raconter au bénéfice de Mitzi, le fait qu'elle soit mariée ne doit pas vous arrêter autant que vous le prétendez !

— Vous voyez clair en moi, n'est-ce pas ? fit-il d'un ton profondément amusé.

— Oui, et je n'aime pas ce que je vois.

— C'est dommage, parce que moi, j'aime beaucoup ce que je vois, fit-il en se rapprochant d'elle.

Lisa recula instinctivement au souvenir de son baiser vengeur dans le bureau de Mitzi. Il la suivit calmement sans lui lâcher le poignet, jusqu'à ce que ses épaules rencontrent l'écorce rêche d'un tronc d'arbre. Le rythme de sa respiration se précipita. Mais ce n'était pas vraiment la peur qui la faisait haleter.

Il y avait d'autres promeneurs dans le parc, et Slade Blackwell lui-même n'aurait pas osé la malmener dans un endroit public. Toujours sans la lâcher, il leva son autre bras et posa la main sur le tronc de l'arbre, tout près de la tête de Lisa.

Sa proximité chavirait les sens de la jeune fille. L'odeur musquée de son after-shave ne faisait qu'ajouter à son trouble. Fixés sur les lèvres de Lisa, ses yeux noirs laissaient peu de doute sur ses intentions. Et, pour comble, elle sentait son cœur battre la chamade, alors qu'elle avait par-dessus tout besoin de garder son calme.

— J'ai pris le temps de réfléchir à notre conversation — ou devrais-je dire à notre altercation ? — de l'autre soir, annonça-t-il avec une intonation tendre dans sa voix grave.

Il glissa son pouce sous le poignet du chemisier de Lisa et lui caressa lentement le pouls, ce qui eut pour résultat d'en accélérer les battements. Elle ravala sa salive pour s'efforcer de parler sans haleter :

— Pour en arriver à quelle conclusion ?

— Que nous n'avons aucun intérêt à nous combattre.

Le sourire tendre qui adoucissait sa bouche volontaire irradiait un charme trop puissant. Lisa détourna les yeux, et regarda derrière lui un canon monté sur un socle : une relique de la guerre de Sécession, exposée en permanence dans le jardin. La bouche à feu était pointée, par-dessus les eaux de la baie, sur la lointaine forteresse de Fort Sumter.

— Que suggérez-vous ? demanda-t-elle.

— Que nous fassions un compromis.

— De quel ordre ?
— Une alliance de nos forces.
— Impossible !
— Pourquoi serait-ce impossible ? fit-il doucement. Pourquoi continuer à nous combattre ? Nous finirions tous deux par y perdre.

Il persistait donc à croire qu'elle en voulait à l'argent de Mitzi. Lisa hésita. Il y avait peut-être là un autre moyen d'obtenir la preuve nécessaire à le confondre.

Remarquant cette hésitation, il poussa son avantage :
— Cela ne vous paraît pas raisonnable ?

Elle avait besoin de réfléchir. Et, pour ce faire, il lui fallait avant tout mettre de la distance entre eux afin d'avoir les idées claires. Aussi, tout en exerçant une légère traction sur son poignet afin de se dégager de son étreinte, convint-elle :
— Peut-être, mais j'aimerais marcher un peu.

Il lâcha son poignet et ils partirent côte à côte. Mais elle n'obtint pas entre eux toute la distance désirée. Une main possessive s'était glissée sur sa taille. Et, à travers l'étoffe soyeuse, ce contact la troublait peut-être encore davantage.

Cet homme exerçait sur elle une attirance sensuelle beaucoup trop violente. Elle ne devait pas oublier que ce long corps musclé cachait une âme noire. Elle venait d'en avoir la confirmation un instant plus tôt, par sa suggestion d'allier leurs forces pour extorquer l'argent de Mitzi. Afin de démontrer à celle-ci quel répugnant personnage il était en réalité, elle se voyait presque obligée d'accepter sa proposition.

Le jardin de White Point se trouve pratiquement à l'extrémité de la péninsule du Vieux Charleston. Le regard de Lisa s'attarda sur le plan d'eau qui luisait doucement devant elle dans la lumière crépusculaire. Elle ralentit le pas, perdue dans la contemplation de l'eau.

La surface lisse et miroitante ne laissait rien supposer du courant qui coulait dans ses profondeurs. Cela la fit songer à Slade ; au cours impénétrable de ses pensées.

— Le fleuve Ashley, la renseigna-t-il. C'est ici que l'Ashley et la Cooper mêlent leurs cours pour donner naissance à l'Océan Atlantique. Il énonçait là ce que prétendaient, en manière de plaisanterie, les charlestoniens.

— Je ne suis pas ici pour prendre une leçon de géographie, répliqua-t-elle sèchement. Comment savoir si je peux vous faire confiance ? ajouta-t-elle en lui faisant face, la tête légèrement rejetée en arrière pour mieux distinguer ses traits.

— Et *moi*, comment saurais-je si je peux vous faire confiance ? riposta-t-il du tac au tac.

— Ce n'est pas une réponse.

— La réponse, c'est que nous sommes obligés de nous faire confiance.

— En raison du code d'honneur des voyous entre eux ? railla sarcastiquement Lisa. Vous ignorez jusqu'à la signification du mot honneur.

— Vous la connaissez ?

— Je ne suis pas le fondé de pouvoir de Mitzi, lié par la loi à protéger ses intérêts.

— Non, vous êtes simplement sa nièce. Allons-nous commencer à disputer de qui est le plus noir, de la pelle ou du seau à charbon ? demanda-t-il avec une ironie contenue.

Elle serra les lèvres et détourna les yeux.

— Vous ne pouvez pas sincèrement espérer que j'oublie votre conduite de l'autre soir ? Non, fit-elle en secouant la tête, ce n'est vraiment pas possible.

— C'est vous qui aviez démarré les hostilités, Lisa.

— En vous giflant ?

— Votre mère ne vous a-t-elle jamais appris qu'on s'attire des amitiés par la flatterie ? Ou n'étais-je pas censé comprendre les insultes voilées dont vous m'aviez abreuvé toute la soirée ?

— Cela ne vous excuse en rien !

— Non, ce n'est pas une excuse... mais il ne s'agissait que d'un baiser.

— C'est cela que vous appelez un baiser ? dit-elle sarcastiquement.

— Donné dans un mouvement de colère, je l'avoue, fit-il en ne montrant que de l'amusement devant son sarcasme.

— Pour ne pas dire plus.

— Vous aviez provoqué cette colère, pour ne pas dire plus.

— Si tel est votre sentiment, comment expliquez-vous votre revirement ?

— Si nous continuons à nous efforcer de convaincre Mitzi que l'autre n'est pas recommandable, peu importe de quelle manière, nous finirons par semer le doute dans son esprit, sur l'un comme sur l'autre, chercha-t-il à la raisonner.

— Et la place sera libre au profit d'un troisième larron, conclut-elle, amenant ainsi le raisonnement à son terme.

— A moins que nous ne parvenions à un arrangement.

— Très bien, parlez-moi un peu du genre d'arrangement.

Il sourit et augmenta la pression de ses doigts sur le creux de sa taille en se tournant vers la voiture.

— Nous en discuterons après dîner, si vous voulez bien. J'ai réservé pour sept heures et demie. Nous sommes en retard, mais je suis certain qu'on nous aura gardé une table. En attendant, convenons d'une trêve.

— Une trêve ? fit Lisa avec un rire incrédule. Parlez-vous sérieusement ?

— Tout ce qu'il y a de plus sérieusement, répondit-il

en lui faisant contourner un grand magnolia. Il vous faut du temps pour vous habituer à croire ce que je dis.

— Je doute d'en jamais prendre l'habitude.

— Vous faites des progrès.

— Comment cela ?

— Parce que vous avez parlé de *douter.* Auparavant, vous auriez froidement répondu que cela n'arriverait jamais.

— C'est un détail purement technique, dit-elle pour écarter l'argument.

— Vous en souvenez-vous ? fit-il, un sourcil arqué en une grimace amusée. C'est de détails techniques que traite ma profession.

— Je crains que vous ne soyez en train de prendre vos désirs pour des réalités, fit-elle un peu plus sèchement qu'elle n'en avait eu l'intention.

Slade lui jeta un coup d'œil en tendant la main pour lui ouvrir la portière de la voiture. Il ne répondit rien, mais l'ébauche d'un sourire se dessina aux commissures de ses lèvres.

6

« Ravie » décida Lisa, était le terme qui coïncidait le plus parfaitement avec ce qu'elle ressentait. Ce restaurant était somptueux sans agressivité, d'un luxe discret qui vous mettait à l'aise.

On leur avait servi une cuisine délicieuse, et le vin commençait à lui procurer une légère griserie très agréable. De la musique douce en sourdine créait une atmosphère romantique qui incitait à la même humeur.

L'intensité de son regard vert masqué par les verres fumés de ses lunettes, Lisa étudiait ouvertement Slade, assis en face d'elle, de l'autre côté d'une petite table délicieusement intime.

Son épaisse chevelure noire avait le lustre du jais, et ses yeux brillaient d'un feu intérieur, avec l'éclat de deux diamants noirs. Ses traits hâlés semblaient taillés dans le roc, tout en dégageant une force virile et attirante. Non, cette comparaison avec la pierre n'était pas bonne. La pierre ne possède pas la vitalité dégagée par Slade.

Sa vitalité et son charme avaient toute la soirée exercé leur magie sur Lisa. Elle n'avait jamais rencontré un homme doué d'un pouvoir de séduction aussi magnétique, dont la fascination tenait à sa subtilité.

Jamais flatteur, il avait cependant réussi à faire que

Lisa se sente merveilleusement bien dans sa peau. Cela le rendait vraiment très dangereux. Mais, en cet instant, elle se sentait d'humeur téméraire.

C'était fou, la manière dont son esprit pouvait fonctionner sur plusieurs plans en même temps. Sur un premier, elle pensait à lui, analysant les particularités qui le distinguaient du commun. Sur un second, elle était attentive à ses propos pour lui donner la réplique quand cela s'imposait.

Mais, sur un troisième plan, son esprit se laissait aller à d'autres impressions. Elle aimait le ton grave de sa voix, lisse et chaude comme le velours. Elle aimait aussi la manière dont les commissures de ses lèvres se creusaient en une ébauche de sourire quand il s'amusait de quelque chose.

Il tint un propos d'une drôlerie irrésistible, et Lisa éclata de rire.

— Je commençais à vous trouver un peu absente. Vous devriez rire ainsi plus souvent, dit-il tandis qu'un sourire chaleureux se jouait sur ses lèvres.

Lisa sentit les battements de son cœur s'accélérer.

— Et vous devriez sourire ainsi plus souvent, répondit-elle sans chercher à dissimuler le frémissement de sa voix.

— A nous entendre, on nous croirait saisis d'admiration réciproque, fit-il remarquer moqueusement.

— Mitzi n'en reviendrait pas ! lança Lisa dans un éclat de rire.

— Au contraire. Telle que je connais Mitzi et son penchant pour les dénouements heureux, elle découvrirait une raison logiquement romantique. Mildred m'a dit que vous veniez à peine de rentrer quand je suis arrivé, dit-il, détournant le sujet. Vous êtes allée faire du tourisme en compagnie de vos amies ?

Que pouvait signifier l'expression d'irritation impatiente qui s'était jouée, un bref instant, sur son visage, avant qu'il détourne le sujet ? Il n'allait tout de même pas s'imaginer qu'elle ressentait pour lui un penchant sentimental ? « Es-tu bien certaine de ne pas ressentir un tel penchant ? » lui sussura une petite voix intérieure moqueuse. « N'es-tu pas un peu curieuse de savoir l'impression que cela te ferait s'il était amoureux de toi ? » Elle éluda la question, par crainte de lui trouver une réponse accusatrice.

— J'ai passé une partie de la journée avec Susan et Peg, mentit-elle. Après un peu de lèche-vitrines dans la matinée, je les ai retrouvées l'après-midi. Elles m'ont emmenée faire une visite touristique.

— Où êtes-vous allées ?

— Aux Jardins de Brookgreen, dit-elle en se rappelant une brochure touristique qu'elle avait parcourue. Ils sont pleins de statues magnifiques. Malheureusement, nous nous sommes trouvées coincées, au retour, dans les embouteillages de l'heure de pointe. C'est pourquoi je suis rentrée si tard.

— Oui, on y voit des œuvres des meilleurs sculpteurs américains. A laquelle va votre préférence ?

Lui faisait-il passer un examen de contrôle ?

— Elles sont toutes plus belles les unes que les autres, biaisa-t-elle. Il serait difficile d'arrêter son choix sur une seule.

— C'est bien vrai. Ces jardins de Brookgreen sont vraiment très beaux, spécialement la grande allée de chênes verts.

— Oui, n'est-ce pas ? fit Lisa avec un sourire.

— Il est temps de partir, dit-il de manière déconcertante. Le restaurant va bientôt fermer.

— Déjà ? fit-elle en regardant autour d'eux. Allons-y, ajouta-t-elle en tendant la main vers son sac.

A part la leur, il ne restait plus que deux tables occupées. Slade passa derrière elle pour tirer sa chaise.

— Merci, fit-elle en se levant. C'était un excellent dîner.

— Je suis ravi qu'il vous ait plu, répondit-il sur un ton de froide et distante politesse.

Mais il ne restait rien de distant dans son comportement quand il lui ouvrit la portière de la voiture. Ce fut avec un sourire parfaitement désarmant qu'il se tourna vers elle après s'être glissé derrière le volant.

— Voulez-vous rentrer directement chez Mitzi, où vous laisseriez-vous tenter par une balade en voiture dans le Vieux Charleston ?

Il était tard, et elle devait se lever tôt le lendemain. La sagesse aurait été de se rallier à la première proposition, mais elle opta pour la seconde. C'était de la folie, songeait-elle, en se calant dans son siège tout en souriant à part soi. Elle détestait Slade, mais ressentait pour lui une dangereuse attirance. Elle aurait dû se sentir inquiète plutôt que ravie.

— Pourquoi ce sourire ? demanda-t-il, alors qu'il ralentissait en pénétrant dans une rue étroite avec une chaussée au pavé de bois irrégulier.

— Ce doit être un reste d'euphorie due au bon vin.

— Oui, j'ai l'impression qu'il vous adoucit le caractère.

— A vous aussi, répliqua-t-elle du tac au tac.

Ils roulaient dans une rue qui longe les docks. Du côté opposé, Lisa aperçut de vieilles maisons appuyées les unes aux autres, peintes de couleurs vives.

— Comme c'est curieux, regardez, dit-elle à Slade en les montrant du doigt. Chacune est peinte d'une couleur différente.

Il la regarda d'un air intrigué.

— C'est le Rainbow Row. Je croyais que vous aviez visité Charleston, ces jours derniers. Comment se fait-il que vous n'ayez pas vu le Rainbow Row ?

— Oh, fit-elle en s'humectant nerveusement les

lèvres du bout de la langue, c'est que je n'ai pas encore visité le Vieux Charleston. Je l'ai gardé en réserve, pour le voir en compagnie de Mitzi. Elle l'a utilisé très souvent, ainsi que le Bas Pays de Caroline du Sud, comme toile de fond à ses romans. Elle doit connaître des tas d'anecdotes passionnantes sur ce quartier. Mais parlez-moi du Rainbow Row, le pressa-t-elle, désireuse d'éviter le sujet épineux de son emploi du temps des jours précédents.

— La plus vieille maison de ce quartier fut construite en 1740. Tous ces immeubles sont aujourd'hui transformés en maisons d'habitation très recherchées. Au dix-huitième siècle, c'était le quartier des docks. Les couleurs différentes servaient de marques de fabrique aux différents négociants.

Lisa avait l'impression de remonter le temps. Gommées par les ombres de la nuit, les rares touches de modernisme, apportées par quelques automobilistes garées dans les rues étroites, cédaient le pas à la magie du passé.

Au détour d'une rue, Slade attira l'attention de Lisa sur une maison située sur sa gauche :

— La maison Heyward-Washington. Ses propriétaires peuvent avancer, à juste titre, qu'elle a abrité le sommeil de George Washington. Thomas Heyward Jr. fut l'un des signataires de la Déclaration d'Indépendance.

Lisa avait à peine eu le temps de regarder la façade noyée d'ombre quand il désigna du doigt un autre endroit, en lui demandant si elle ne lui trouvait pas un air familier.

— Oui, vaguement, convint-elle. Mais pourquoi?

Elle souhaitait soudain que cette promenade ait eu lieu de jour : elle aurait peut-être mieux pu se rendre compte de la raison pour laquelle cet endroit lui donnait une impression de déjà-vu.

— C'est Cabbage Row. L'ancien marché aux légumes. C'est lui qui a inspiré le décor de l'opérette *Porgy and Bess.*

Ils passèrent encore devant de nombreux lieux historiques. Et Lisa se promit de recommencer cette visite à la lumière du jour. Elle prenait pourtant grand plaisir à cette première vision nocturne. La nuit ressuscitait par ses sortilèges les vestiges de l'ancien temps, rendant toute sa gloire naissante à la ville devenue au fil des ans, le Vieux Charleston.

Ils pénétrèrent dans une rue qu'elle reconnut. Elle y passait tous les jours en allant au bureau. La maison de sa tante se trouvait tout près de là. Son regard s'arrêta sur la façade blanche d'un hôtel particulier, protégé par une grille aux volutes élégantes et ombragé de grands chênes.

— De toutes les demeures du Vieux Charleston, dit-elle, c'est celle-ci que je trouve la plus belle.

— Laquelle ?

— Celle-là, ici, fit-elle en la désignant du doigt.

— Voulez-vous la voir de plus près ? demanda-t-il tandis qu'un léger sourire se dessinait sur ses lèvres.

— Bien sûr, répondit-elle.

Elle s'était imaginé qu'il roulerait le plus près possible du trottoir, le long de la grille. Mais, au lieu de cela, il tourna et engagea sa voiture dans le portail d'entrée.

— Que faites-vous ? demanda-t-elle.

— Vous avez bien dit que vous souhaitiez la voir de plus près ? fit-il d'un ton moqueur.

— Oui. Mais je ne voulais pas dire d'aussi près. Je passe devant tous les jours...

— Vous passez devant tous les jours ? demanda-t-il.

Lisa pensa qu'elle aurait mieux fait d'avaler sa langue. Elle accusa le vin de l'avoir entraînée aussi légèrement. Elle s'était laissé leurrer par un sentiment de fausse sécurité. Slade était toujours son adversaire, elle ne devait plus l'oublier.

— Oui, pour aller rejoindre Susan et Peg. Elles passent me prendre en voiture au bout de cette rue, expliqua-t-elle.

Les traits de Slade étaient dans l'ombre, mais il y avait assez de clarté pour qu'elle pût remarquer le scepticisme qu'ils reflétèrent en écoutant ce qui devait être son millionième mensonge.

— Nous ne pouvons pas nous arrêter là ! protesta-t-elle quand il immobilisa la voiture devant la porte d'entrée de la grande maison blanche.

— Je connais très bien les propriétaires. Ils ne verront aucune objection à ce que je vous la fasse visiter.

— Mais ils ne sont pas là, fit-elle en remarquant qu'aucune lumière ne filtrait par les fenêtres.

Mais cela ne sembla pas arrêter Slade. Il descendit de voiture et en fit le tour pour ouvrir la portière à Lisa.

— Ils sont absents, mais ils m'ont laissé les clés, expliqua-t-il.

— Des clients ?

— Plus ou moins. Je m'occupe de temps à autre de l'aspect juridique de leurs affaires, mais je les connais depuis de nombreuses années.

Il la soutint par le coude pour monter les trois marches du perron. Puis il sortit une clé de sa poche, la glissa dans la serrure et ouvrit la porte. Il alluma l'électricité au bouton qui se trouvait près de l'entrée et s'effaça pour laisser Lisa pénétrer la première dans la maison.

— La maison est fermée jusqu'à l'automne. Aussi les meubles sont-ils couverts de housses. Mais vous pourrez tout de même vous faire une idée de l'ensemble.

Le plancher de chêne du vestibule brillait comme un miroir. Une corniche en plâtre moulé courait autour du plafond. Des torchères murales en cristal éclairaient des murs couverts de tableaux.

Se faisant toujours l'impression d'une intruse, Lisa s'avança pour les examiner de plus près. Devant le premier tableau, elle écarquilla les yeux de surprise. C'était le portrait d'un homme aux cheveux et aux yeux d'un noir de jais, en habits de l'ancien temps. Elle pivota sur ses talons pour faire face à Slade qui se tenait derrière elle.

— Les propriétaires sont des gens de votre famille, fit-elle, accusatrice.

— Mes parents, sourit-il.

— Pourquoi ne pas me l'avoir dit, au lieu de me laisser penser que...

Elle laissa sa phrase en suspens. Elle savait trop comment elle se serait terminée : sur un quelconque propos insinuant que les propriétaires faisaient partie de ses autres dupes. Mais elle ne se sentait pas d'humeur à introduire ce sujet dans leur conversation. C'était vrai, le vin lui adoucissait le caractère. Elle n'avait pas envie de se disputer avec lui.

— Penseriez-vous au pire ? ironisa-t-il.

— Peu importe. Vous me faites faire le tour du propriétaire ?

En dépit des housses blanches qui recouvraient les meubles, une atmosphère chaleureuse se dégageait de la maison. Leurs pas résonnèrent dans le silence, sur les parquets du rez-de-chaussée, puis dans l'escalier en colimaçon menant au premier étage.

— Vos parents ne passent plus beaucoup de temps ici ? demanda-t-elle.

— Non. Plus maintenant. Pas depuis que mon père a acheté la ferme.

— Il s'est installé à la ferme peu après que vous ayez commençé de pratiquer, n'est-ce pas ? rêvassa-t-elle à haute voix.

— Oui. Mais comment le savez-vous ? demanda-t-il en la dévisageant avec curiosité.

Elle eut recours à un nouveau mensonge pour couvrir son lapsus :

— Mitzi a dû m'en parler, je suppose, fit-elle en haussant les épaules. Vous avez habité ici ?

— Toute ma vie.

Il reprit sa marche, entraînant Lisa avec lui de sa main posée sur sa taille.

— Pourquoi n'habitez-vous plus ici maintenant ? Je veux dire, fit-elle avec un petit rire embarrassé, qu'il semble vraiment dommage de laisser une aussi belle vieille demeure inhabitée, ne serait-ce même qu'une journée.

— Elle est trop grande pour un homme seul.

— Oui, c'est une maison familiale, convint Lisa en songeant aux nombreuses chambres faites pour abriter une nichée d'enfants bruns aux yeux noirs. Où habitez-vous ?

— Dans l'ancien quartier des esclaves, derrière la maison. Nous avons transformé le bâtiment en appartement quand j'étais encore à l'université. C'est devenu très à la mode, de transformer les anciens logements des esclaves en appartements pour les louer. C'est également très rentable.

— Je suppose que votre propos suivant sera de m'offrir de visiter votre appartement. Tous les célibataires possèdent, à ce que l'on dit, une collection d'estampes japonaises à faire admirer, badina-t-elle.

Une lueur polissonne se mit à danser dans les yeux de Slade qui répliqua :

— Vous voulez visiter mon appartement ?

— Bien sûr que non ! fit-elle en manquant trébucher sur la première marche de l'escalier. Mais c'est bien une plaisanterie classique de célibataire, non ?

— Oui, convint-il. Mais elle est tellement usée que personne ne l'utilise plus.

— Cela vaut mieux, parce qu'il se fait tard. Et je ne voudrais pas que Mitzi s'inquiète. Il est grand temps que je rentre.

Avant de me laisser complètement subjuguer, ajouta-t-elle silencieusement. Elle se montrait beaucoup trop aimable avec Slade, songeait-elle. Elle n'aurait dû avoir envers lui qu'une amabilité de commande, destinée uniquement à lui arracher des renseignements. Or, voilà qu'elle se surprenait à badiner avec lui, ce qui lui faisait perdre de vue son objectif.

— Vous avez au moins sur moi l'avantage d'être en vacances, et de pouvoir faire la grasse matinée, dit-il tout en traversant le vestibule en direction de la porte. Moi, je dois me lever tôt pour aller au bureau.

— Moi aussi, laissa-t-elle échapper. Pas pour aller au bureau, bien sûr, ajouta-t-elle aussitôt pour couvrir son nouveau lapsus. Mais j'ai rendez-vous de bonne heure avec Peg et Susan.

— Encore ? Je pensais que c'était Mitzi que vous étiez venue voir.

— Bien sûr. Mais elle est en plein milieu d'un livre. Ce serait stupide de flâner dans la maison à ne rien faire en attendant qu'elle le termine. Autant m'amuser pendant ce temps-là, fit-elle, davantage sur la défensive qu'elle ne l'eût souhaité. Je suis en vacances. De plus, j'ai le week-end à passer avec Mitzi.

— Vous pourrez alors jouer à la nièce dévouée et attentive. C'est bien cela ?

Elle ouvrit la bouche pour protester contre le sarcasme contenu dans sa remarque mais se ressaisit à temps et contre-attaqua :

— Je pense pouvoir tenir ce rôle aussi efficacement que vous celui du loyal fondé de pouvoir.

La dernière lumière s'éteignit, plongeant l'hôtel particulier dans l'ombre. Lisa attendit sur le perron que Slade ait fermé la serrure de la porte. Quand il la rejoignit, sa main la saisit par le bras, l'arrêtant dans son mouvement pour descendre les marches.

— Je suis quasiment désolé que la trêve soit rompue, avoua-t-il.

Lisa eut l'impression qu'il faisait cet aveu à contre-cœur. Mais, dans l'ombre de la nuit, elle ne pouvait pas lire sur son visage taciturne jusqu'à quel point son regret était sincère ou affecté.

— Par votre faute, lui retourna-t-elle, se refusant à admettre qu'elle partageait ce regret.

— Vous n'avez pas perdu de temps pour passer à la contre-attaque. Néanmoins, nous ne pouvons pas continuer à nous insulter si nous devons conclure une alliance.

— Qui a dit qu'il en serait ainsi ? répliqua-t-elle. Je ne suis pas convaincue d'avoir besoin de vous.

Il rejeta la tête en arrière, dans une attitude légèrement moqueuse, et elle crut voir, dans la pénombre, les commissures de ses lèvres se creuser.

— Si, vous l'êtes, riposta-t-il. Si vous aviez été fermement décidée à refuser, vous ne seriez pas sortie avec moi ce soir. Vous m'auriez dit, dans les jardins de White Point, d'aller au diable. Mais vous ne l'avez pas fait. Ce qui signifie que votre réponse est oui.

Lisa détourna la tête en serrant les lèvres.

— Vous êtes bien sûr de vous, fit-elle d'un ton irrité.

Il lui prit le menton entre le pouce et l'index et lui tourna la tête vers lui.

— Non, répondit-il. De vous. Et de la manière dont votre esprit fonctionne.

Sa fatuité dépassait vraiment les bornes. Ce ne fut pourtant pas elle qui retint l'attention de Lisa, mais le frisson provoqué par le contact de Slade. Un frisson qui lui courait en courtes ondes de choc le long de la colonne vertébrale. La gorge desséchée, elle resta muette.

Maudit soit ce vin qui lui tournait la tête, pensait-elle. Sous ses pieds, le sol lui paraissait aussi instable que le pont d'un bateau en haute mer. Slade était si grand et si solide en face d'elle qu'elle eut envie de se laisser aller contre lui pour retrouver son équilibre. C'était une sensation démente car, elle le savait, tout se passait dans son imagination.

Elle vit le regard de Slade se fixer sur son visage. Elle avait l'impression que ses yeux en touchaient chaque trait, les palpaient, les caressaient, jusqu'à ce qu'ils s'arrêtent sur ses lèvres qui tremblaient très curieusement. Slade courba la tête vers la sienne et s'arrêta, comme s'il attendait une protestation de sa part.

Elle se sentait fébrile à l'idée qu'il allait l'embrasser, tout en étant stupéfaite par cette ahurissante découverte qu'elle en mourait d'envie. L'ambivalence des sentiments qu'il lui inspirait frisait la folie, mais elle n'éleva pas le plus léger murmure pour l'arrêter.

Le frôlement de sa bouche ferme contre la sienne la fit frémir de surprise. Ses lèvres se posaient avec légèreté sur celles qu'il avait, quelques jours plus tôt, si sauvagement meurtries, cherchant avec hésitation à les émouvoir dans une lente caresse sensuelle. Quand il releva la tête, un sourcil arqué, exprimait l'ahurissement. Et Lisa sentit un fourmillement parcourir ses lèvres.

— C'est fou, murmura-t-elle pour exprimer son étonnement.

— Oui, convint-il sans avoir besoin de plus amples explications.

— Je n'éprouve même pas de sympathie pour vous.

— Je sais.

Il lui lâcha le menton, et ses doigts se glissèrent derrière la nuque de Lisa, dans le flot argenté de sa chevelure. Il lui inclina la tête en arrière, et sa bouche redescendit vers la sienne. Elle sentit ses lèvres répondre instinctivement aux siennes, tandis qu'un tourbillon de sensations la parcourait tout entière. Le baiser n'avait plus rien d'hésitant, cette fois, et elle y répondait de même.

Il s'écarta brusquement et baissa les yeux sur elle en fronçant les sourcils. Il avait la mâchoire crispée et une expression de colère contenue sur le visage. Bouleversée par la tempête qui secouait ses sens, Lisa détourna la tête.

— Nous ferions mieux de partir, dit-il sèchement.

— Oui, convint-elle ardemment, désireuse d'échapper à une nouvelle étreinte.

Il avait encore les sourcils froncés quand il lui ouvrit la portière et contourna la voiture pour aller se mettre au volant. Sans dire un mot, il fit demi-tour pour rejoindre la rue. Il ne fallait pas plus de deux à trois minutes pour arriver chez Mitzi. Mais, dans un lourd silence, Lisa les trouva interminables.

Elle bondit hors de la voiture dès qu'il l'eut arrêtée devant la maison et, sans attendre qu'il la raccompagne à la porte, lui lança un « bonne nuit » qui se perdit dans le claquement de la portière.

Slade ne chercha pas à la suivre pendant qu'elle partait vers la porte en courant, comme si elle avait le diable à ses trousses. Mais elle n'avait peur que d'elle-même. Avant de rentrer chez sa tante, elle jeta un coup d'oeil vers la voiture : Slade l'observait, en fronçant toujours les sourcils d'un air songeur.

Le lendemain matin, ce ne fut pas facile pour Lisa de se retrouver en face de lui dans le rôle d'Ann Elridge. Elle s'efforça de prendre une attitude froidement professionnelle qu'elle assuma très mal. Il était, par bonheur, trop préoccupé pour remarquer la nervosité de sa secrétaire intérimaire en sa présence.

Alors que, penché au-dessus du bureau de Lisa, il était occupé à signer du courrier urgent, elle se surprit à observer les reflets bleu-noir que mettait sur ses cheveux la lumière du plafonnier. Puis son regard glissa sur son profil et sur le dessin autoritaire de sa bouche, où il s'attarda.

Elle songeait à la douceur persuasive de ses lèvres sur les siennes et souhaitait n'y avoir pas répondu. C'était tellement plus simple de le détester que de se trouver en proie à des sentiments contradictoires.

— Quelque chose ne va pas, Madame Elridge ? demanda-t-il en se redressant.

Il posait sur elle un regard curieux. Elle détourna aussitôt les yeux pour essayer de dissimuler son trouble et se mit à rougir.

— Non. Rien, répondit-elle précipitamment.

Elle commença de plier les lettres qu'il venait de signer pour les mettre sous enveloppes.

— Si c'est à propos de votre salaire...

— L'agence me règle directement, mentit-elle, et vous facturera par la suite.

— Bien. Appelez Mme Talmage de ma part et demandez-lui à quelle heure rentrera sa nièce.

— Sa nièce ? répéta Lisa qui se sentit blêmir à cette demande inattendue.

— C'est bien ce que j'ai dit, il me semble, répliqua-t-il impatiemment.

— Si... si Mme Talmage me demandait pour quelle raison, que dois-je répondre ?

— Que cela ne la regarde pas ! éclata-t-il. Non, fit-il en retrouvant immédiatement son contrôle. Dites-lui que je passerai voir Lisa ce soir... ainsi que Mme Talmage, ajouta-t-il après une seconde de réflexion.

— Bien sûr, monsieur, murmura-t-elle, soulagée d'être prévenue de sa visite.

Il jeta un coup d'œil sur sa montre-bracelet.

— Si par hasard la nièce de Mme Talmage était là, passez-moi la communication dans le bureau de Drew. Sinon, faites-moi savoir l'heure à laquelle on attend son retour.

Savoir qu'elle verrait Slade le soir ne lui fit pas trouver le temps plus court, bien au contraire. Elle ne cessa de s'interroger, tout au long de cette journée interminable, sur la raison de sa visite. L'ignorer la rendait aussi nerveuse qu'un poulain ombrageux.

Au dîner, son estomac noué l'empêcha de faire honneur à la cuisine de Mildred. A chaque bruit venant de la rue, elle sursautait, s'imaginant qu'il annonçait l'arrivée de Slade.

— Je me demande pourquoi Mildred n'a pas pensé à inviter Slade à dîner, fit Mitzi avec un soupir en servant le café dont elle tendit une tasse à Lisa. Son repas aurait été largement assez copieux pour nous tous. Surtout que tu n'as pratiquement rien mangé.

Lisa s'aperçut qu'elle avait les mains tremblantes : sa tasse de café tressautait sur sa soucoupe. Elle la posa aussitôt sur la table en face du canapé et croisa les mains sur ses genoux.

— Je n'avais pas grand-faim. J'ai pris un déjeuner très copieux, mentit-elle.

La vérité était qu'elle n'avait rien mangé du tout, si bien qu'elle se sentait faible et tremblotante. Mais, à la simple idée de prendre un des petits fours qui se trouvaient sur le plateau à café, elle sentait la nausée lui retourner l'estomac.

— Mais tu ne m'as pas raconté comment s'est passée ta soirée avec Slade, hier ? demanda Mitzi en se calant confortablement dans son fauteuil, une lueur de curiosité dans ses yeux bruns.

— Plutôt bien, je suppose, fit Lisa avec un haussement d'épaules indifférent, cherchant à éluder la question.

Mais sa tante n'entendait pas se satisfaire d'une réponse aussi évasive. Elle claqua la langue d'un air moqueur et insista :

— Tu ne t'en tireras pas avec une réponse aussi vague, Lisa. Je doute que votre soirée ait été terne à ce point-là. Allons, raconte.

— Je ne vois vraiment pas ce que tu veux dire, fit Lisa nerveusement. Nous sommes allés dîner, nous avons bavardé, fait un tour en voiture, et il m'a raccompagnée à la maison.

— Pas de gifle ? Pas de dispute ? Juste une petite soirée bien tranquille ? fit sa tante avec un sourire entendu.

— Eh bien, oui, nous nous sommes disputés, si c'est cela que tu veux savoir !

— Mais pas tout le temps ?

Lisa se frotta le front du bout d'un doigt, pour essayer de calmer un élancement douloureux.

— Non, pas tout le temps, admit-elle avec un soupir.

— A vrai dire, je ne pensais pas que tu sortirais avec lui.

— Il ne m'a pas vraiment laissé le choix. Il m'a pratiquement entraînée hors de la maison et poussée dans la voiture, sans me laisser le temps de constater que tu ne venais pas.

— C'est du Slade tout pur ! fit Mitzi avec un rire étouffé. Mais vous avez bien dû finir par trouver un terrain d'entente, après avoir passé une soirée ensemble ?

— Je n'en sais trop rien, répondit-elle sans mentir.

Elle sursauta en entendant la sonnette de la porte d'entrée.

— Ce doit être Slade, dit Mitzi.

Pendant que sa tante allait lui ouvrir la porte, Lisa se leva du canapé pour aller à la fenêtre. Elle souleva le rideau et regarda fixement au-dehors. Sans détourner la tête, elle fut consciente de sa présence dès qu'il entra dans la pièce. Elle se tendit sous le poids du regard qu'elle sentait peser sur elle.

— Bonsoir, Lisa, lança-t-il d'un ton contraint.

— Bonsoir, Slade, répondit-elle en lui adressant un sourire forcé par-dessus son épaule.

Elle eut l'impression que son regard aigu la pénétrait comme un poignard. Et quand il détourna enfin les yeux, il avait de nouveau cette curieuse expression de colère contenue. Soulagée de ne plus se sentir épiée, Lisa n'en restait pas moins déconcertée par l'ignorance du motif de sa visite, tout autant que de celui qui lui faisait battre le cœur aussi follement.

— Nous en étions au café, vous en prendrez avec nous Slade ? demanda Mitzi tout en avançant la main vers une troisième tasse sur le plateau.

— Oui, avec plaisir, répondit-il machinalement.

— Vous avez l'air soucieux, Slade, dit Mitzi en lui versant du café.

Ses yeux sombres se posèrent sur Lisa, mais il les détourna aussitôt.

— Le bureau a été un enfer toute la journée. Je suppose qu'il me colle encore un peu à la peau.

C'était complètement faux. Cette journée avait été la plus calme que Lisa ait vue au bureau, et elle se demanda pourquoi il mentait. Elle le dévisagea et ressentit sa fébrilité. Bien qu'il fût immobile, il lui donnait la sensation d'arpenter la pièce à grands pas.

Elle avait l'impression qu'ils étaient branchés sur la même longueur d'onde, bien qu'elle ne comprît rien à ce qui l'agitait.

— Lisa, ton café refroidit, lui rappela Mitzi.

— Pardon, s'excusa-t-elle sans savoir pourquoi, je l'avais oublié.

Elle passa devant lui, pour retourner s'asseoir sur le canapé ; ses jambes semblaient se dérober sous elle. La mauvaise humeur de Slade lui communiquait des décharges électriques qui irritaient toutes ses fibres nerveuses.

Elle évita soigneusement de croiser le regard noir qui l'épiait, tout en étant totalement consciente de ses moindres mouvements. La gorge nouée, elle ne pouvait boire le café tiède qu'à petites gorgées.

— Je n'ai pas eu le loisir de lire les critiques de votre dernier livre, l'autre soir, Mitzi. J'aimerais y jeter un coup d'œil, dit Slade.

— Je vais les chercher, proposa Lisa aussi rapidement qu'elle l'avait fait quelques jours plus tôt.

Mais Slade l'empêcha de se lever en la retenant par le bras.

— Mitzi les trouvera beaucoup plus facilement que vous, dit-il sèchement.

— Peut-être pas si facilement que cela, lança Mitzi. Mais, en tout cas, sûrement plus rapidement que Lisa. Attendez-moi ici, vous deux.

— Oh, non ! protesta Lisa en devenant rouge comme une pivoine.

— Lisa ! murmura Slade dans un souffle, sur un ton à la fois autoritaire et suppliant qui lui demandait de rester.

Mitzi glissa vers eux un regard où pétillait une lueur malicieuse et annonça :

— A la réflexion, il se pourrait que cela me prenne assez longtemps, de chercher ces articles.

— Prenez tout votre temps, Mitzi. Je ne suis pas pressé, répondit Slade sans quitter Lisa des yeux.

7

Dès que Mitzi fut sortie de la pièce, Slade lâcha le bras de Lisa, et s'éloigna d'elle à grands pas en lui tournant le dos. Lisa contempla le noir de sa chevelure qui balayait le col roulé de son chandail jaune, harmonisé au brun de son veston en velours côtelé.

— Nous savons tous deux que vous n'êtes pas venu pour lire les critiques du livre de Mitzi. Quelle raison vous amène, Slade ?

Etait-ce bien elle qui s'exprimait sur un ton aussi uni et désinvolte, alors qu'elle tremblait intérieurement de la tête aux pieds ? Il lui jeta un regard noir et glacial par-dessus son épaule.

— Il m'est venu à l'esprit que, si j'avais considéré votre accord à notre arrangement comme allant de soi, vous aviez pourtant habilement évité de me le donner.

Slade aussi paraissait calme et maître de lui. Leur tension à tous deux semblait cependant mettre de l'électricité dans l'air.

— Vraiment ? demanda-t-elle. Je croyais pourtant l'avoir fait.

Il pivota sur ses talons et lui fit face.

— Vous ne l'avez pas fait et vous venez encore de l'esquiver.

Ce fut au tour de Lisa de détourner les yeux de son visage dominateur et pressant.

— Bien entendu, je vous le donne. Comme vous l'avez souligné hier soir, nous n'avons aucun intérêt à nous combattre. Est-ce assez direct pour vous ? ne put-elle s'empêcher de lancer d'un ton agressif. Où tenez-vous à ce que je vous signe un pacte plein de « considérant que » et de « comme suit » ?

— Assez ! aboya-t-il.

— Assez de quoi ? demanda Lisa en lui faisant face, sur la défensive.

— Assez de vos sarcasmes.

Un muscle tressautait nerveusement sur sa mâchoire volontaire, et il serrait les lèvres de colère.

— Je suis incapable de les retenir en face de vous. C'est instinctif.

— Vous avez pourtant réussi à vous montrer civile, la nuit dernière, lui rappela-t-il.

— J'avais bu trop de vin, se défendit-elle.

C'était l'alibi qu'elle s'était donné toute la journée pour expliquer sa réaction à ses baisers.

— Etait-ce uniquement le vin ? railla-t-il. Je me suis interrogé là-dessus toute la journée.

Cette confession la prit par surprise. Ainsi, c'était à cause d'elle qu'il avait eu l'air si préoccupé au bureau. Il était donc aussi troublé qu'elle par les événements de la nuit précédente. Elle maîtrisa difficilement un élan de joie.

Slade fut près d'elle en une enjambée et la saisit par la taille. Ce contact provoqua dans les messages électriques de son système nerveux une surtension qui la rendit insensible à tout, excepté à sa présence.

— Je n'ai pas bu de vin aujourd'hui. Et vous ? demanda-t-il d'un ton pressant.

Elle secoua la tête, ce qui fit voler sa longue chevelure blonde. Il l'attira lentement vers lui. Ses mains sur sa taille la faisaient frissonner tout entière. Elle leva la tête vers lui, les lèvres offertes.

Sa bouche se posa fiévreusement sur celle de Lisa, balayant toute résistance. Son baiser avide était bien plus grisant que n'importe quel vin. D'un geste automatique, elle glissa les mains sous sa veste, autour de son torse puissant.

Il resserra étroitement son étreinte, écrasant la douceur de ses courbes contre sa musculature d'acier. Il lui faisait perdre la tête comme aucun homme n'y était parvenu avant lui. Il l'entraînait à un paroxysme de délire où toute prudence se trouvait abolie. Elle était prête à chanter les louanges de ce qu'elle avait commencé par détester en lui : sa force et sa virilité. Elle ne put s'empêcher de frémir de regret quand sa bouche se déprit de la sienne.

— Quelle sorte de sorcière êtes-vous donc? lui murmura-t-il près de la tempe d'une voix rauque, l'haleine courte.

— Une sorcière qui a perdu ses pouvoirs.

Complètement déroutée et sans défense, ajouta-t-elle pour elle-même. Eût-il cherché à la séduire, elle eût été incapable de lui opposer la plus infime résistance.

Sa bouche reprit violemment la sienne, comme pour la punir d'un mensonge. Mais Lisa n'avait pas menti. Pour elle, c'était Slade qui l'enfermait dans le cercle magique de ses bras pour ensorceler son âme. Son baiser agissait sur elle comme une drogue à l'emprise foudroyante, dont elle ne pouvait déjà plus se passer.

— Enlevez ces bon sang de lunettes, marmonna-t-il sourdement.

Ce fut la gifle dont Lisa avait besoin pour revenir à la réalité. Elle se glissa hors de ses bras et s'éloigna de lui d'un pas hésitant en lui tournant le dos. Son cœur battait à se rompre. Elle croisa les bras pour essayer de maîtriser la tempête de son émotion.

— Je ne veux pas m'engager dans une histoire sentimentale avec vous, Slade. Je tiens à ce que nos rapports restent strictement ceux d'une relation d'affaires.

Si elle devait se trouver dans l'obligation de le dénoncer, elle voulait pouvoir le faire sans remords ni regrets.

— Et croyez-vous qu'il en soit autrement pour moi ? demanda-t-il d'une voix étouffée.

— Je ne sais pas, fit-elle dans un gémissement.

Les mains de Slade lui emprisonnèrent la taille, avant de remonter vers ses seins. Les épaules de Lisa se trouvèrent pressées contre la poitrine virile.

— Je n'ai pas voulu cela, murmura-t-il d'une voix rageuse. En fait, c'était bien la dernière chose que je voulais !

Mais, tout en parlant, il la forçait à pencher la tête pour enfouir ses lèvres au creux de sa nuque, dans le flot argenté de ses cheveux.

— Moi aussi, répliqua-t-elle.

Mais la caresse avide lui faisait courir des frissons tout au long du dos. Elle accrochait ses mains aux avant-bras musclés, apparemment pour se défaire de l'étreinte des doigts refermés sur ses seins. Mais, en fait, elle retenait Slade, l'invitait à poursuivre sa caresse. Une vague de désir la soulevait, l'emportant dans un tourbillon irrésistible, puissant et dangereux.

— Mais c'est arrivé, que pouvons-nous y faire ? murmura-t-il d'une voix entrecoupée, tout contre la nuque sensible.

— Cesser.

— Le pouvez-vous ? ricana-t-il.

— Je ne sais pas, gémit Lisa.

Elle ferma les yeux, sous l'effet de la déchirante douceur qui refusait de s'apaiser dans ses reins.

Il resserra encore plus étroitement son étreinte, glissa

une main possessive sur sa hanche et murmura d'une voix rauque :

— J'ai envie de vous, Lisa.

— Je sais.

Serrée contre lui comme elle l'était, comment aurait-elle pu ignorer la violence de son désir auquel le sien répondait en la laissant pantelante ?

Slade la relâcha si brusquement qu'elle chancela un instant sans le support de son corps. Il s'éloigna d'elle à grandes enjambées, mettant entre eux presque toute la longueur de la pièce. Lisa le fixait avidement, incapable de renier son désir maintenant qu'il ne la tenait plus dans ses bras.

Il prit une cigarette dans le coffret d'émail qui se trouvait sur la table à côté du plateau à café. Il aspira une insipide bouffée de fumée qu'il exhala violemment, et passa nerveusement la main dans son épaisse chevelure noire. Lisa eut l'impression que le feu de la colère qui brillait dans ses yeux lui brûlait la peau.

— Qu'attendez-vous de moi, Lisa? demanda-t-il dans un grincement de dents. En dehors d'une part garantie de l'argent de votre tante, ajouta-t-il sarcastiquement.

— Rien. Dieu! comme j'aimerais ne vous avoir jamais rencontré ! hoqueta-t-elle, en sentant des larmes brûlantes perler à ses yeux, heureusement masqués par les lunettes fumées.

— Pas moitié autant que moi, grinça-t-il. Pas moitié !

Dans un geste de colère contenue, il écrasa dans un cendrier la cigarette qu'il venait d'allumer. A grands pas raides, il se dirigea vers la porte, avant que Lisa ait pu comprendre son intention.

— Où allez-vous ? murmura-t-elle, déconcertée.

— Je pars ! lança-t-il sèchement. Présentez mes excuses à votre tante.

Les portes claquèrent violemment dans son sillage.

Lisa tressaillait à chaque claquement, tandis que son chagrin éclatait en lui infligeant un million de douleurs lancinantes.

Elle ne méritait pourtant pas autre chose, songeait-elle, pour avoir ainsi abandonné son orgueil et sa pudeur dans les bras d'un voleur, ou peut-être pire. Mais elle n'eut pas le temps de s'attarder sur les aspects humiliants de sa réaction passionnée, Mitzi pénétrait dans le salon et lançait :

— Ciel ! Slade avait vraiment l'air hors de lui. Je ne peux pas vous laisser en tête à tête plus de cinq minutes sans que vous trouviez une raison de vous quereller. De quoi s'agissait-il, cette fois ?

— Le sujet importe-t-il ? fit Lisa avec une amertume qu'elle ne chercha pas à dissimuler.

— Je présume que non, soupira Mitzi. Vous êtes, semble-t-il incapables de vous entendre sur quoi que ce soit. S'il ne restait rien d'autre, vous réussiriez encore à ne pas tomber d'accord sur la couleur du soleil. Après la soirée d'hier, j'avais espéré que...

— La soirée d'hier était une erreur, coupa Lisa.

A plus d'un titre, aurait-elle pu ajouter. Elle essuya une larme brûlante qui débordait de ses cils.

— Lisa, tu pleures ! fit Mitzi, totalement effarée par cette découverte.

— Je pleure toujours quand je suis en colère, blessée, honteuse ou effrayée.

— Je vais en toucher deux mots à Slade, fit sa tante dont le visage prit une expression sévère.

— Ne prends pas cette peine. Il ne ferait qu'en rire, répliqua amèrement Lisa.

— Slade...

— Tu le connais mal ! interrompit Lisa. Tu ignores à quel point il est arrogant, exigeant, troublant...

Grand Dieu ! avait-elle vraiment lâché ce dernier mot ? Elle en rougit de confusion.

— Eh bien ! non, fit Mitzi en essayant de dissimuler son amusement, je ne crois pas connaître très bien ce dernier aspect de sa personnalité.

Lisa ne se souvenait pas d'avoir jamais connu pareille humiliation. Elle marmonna une vague excuse et prit la fuite.

Dans l'intimité de sa chambre, elle laissa enfin libre cours à ses larmes. Mais ses pleurs avaient une autre raison que la honte : le sentiment d'avoir trouvé une chose précieuse qu'elle ne pouvait garder. Sentiment qu'elle se refusait à admettre ou à analyser. Elle fut secouée de sanglots à en avoir mal à la tête et finit par s'endormir, épuisée, aux environs de minuit.

Le lendemain matin, elle s'éveilla dans un sursaut de panique : elle se croyait en retard pour aller au bureau. Puis elle laissa retomber sa tête sur l'oreiller. On était samedi, et l'étude de Slade était fermée. Elle soupira de soulagement : elle n'aurait jamais trouvé assez de sang-froid pour jouer Ann Elridge en face de lui.

Un coup d'œil à son miroir lui montra qu'elle aurait bien du mal à faire face à qui que ce fût, ce jour-là. Elle avait les yeux brûlants et injectés de sang, les paupières bouffies et des cernes noirs sous les yeux. Ne pouvant supporter sa propre image, elle chaussa ses lunettes de soleil pour dissimuler les ravages de ses sanglots nocturnes.

Elle enfila un blue-jean et un débardeur en coton blanc. Elle avait le teint si anormalement blafard que son rouge à lèvres rose semblait criard. Elle l'essuya avec un mouchoir en papier et passa machinalement un coup de peigne dans sa longue chevelure blond-argent.

Mitzi était au travail dans son bureau. Après avoir pris un simple verre de jus d'orange, Lisa sortit par la porte de derrière flâner dans le jardin. Apathique, elle avançait au hasard sous les grands chênes.

La nuit précédente, elle avait envisagé de boucler ses

valises et de partir, de fuir Slade Blackwell. Mais c'était abandonner Mitzi à sa merci. Etait-elle lâche à ce point ?

Et si elle restait... ? Elle eut un frisson d'angoisse. Elle n'était pourtant pas une oie blanche sans défense devant les hommes, mais une adulte, habituellement capable de décourager des attentions masculines importunes. Le problème, c'était qu'elle ne trouvait pas celles de Slade indésirables. Son seul contact la faisait fondre comme neige au soleil.

Tomber amoureuse d'un aigrefin grugeant de riches femmes vieillissantes, voilà bien la dernière catastrophe à laquelle elle se serait attendue. Mais elle n'était pas amoureuse de lui. Il ne lui inspirait qu'un désir physique. Pas de l'amour.

Oui, mais rester plus longtemps, c'était courir le risque de tomber amoureuse de lui. Et si elle l'aimait, trouverait-elle la force de le dénoncer avant qu'il n'ait détruit la sécurité de l'avenir de Mitzi ?

Troublée et indécise, elle trouvait la situation beaucoup moins limpide qu'au moment de son arrivée. Comment avait-elle pu se fourrer dans un pareil guêpier ? Et comment allait-elle s'en sortir ? Aucun dénouement heureux ne lui semblait possible.

Elle poussa un soupir mélancolique en levant les yeux vers le ciel. Elle aperçut une plate-forme en planches, fixée dans la fourche de deux branches maîtresses du grand chêne sous lequel elle se trouvait. Clouées dans le tronc de l'arbre, des traverses de bois formaient une rudimentaire échelle d'accès à la plate forme.

Lisa songea que cette situation haut-perchée serait idéale pour dominer ses problèmes. Elle entama l'escalade vers le refuge de l'arbre. Les traverses de l'échelle étaient parfaitement solides, et elle parvint sans encombre sur la plate-forme, elle aussi tout à fait robuste.

Confortablement assise en tailleur, les mains sur ses

chevilles, Lisa commençait à se sentir beaucoup mieux. Il y avait vraiment quelque chose de réconfortant à se trouver perchée dans un arbre. Elle songea avec amusement que, si la théorie de Darwin n'était pas fausse, si l'homme descendait vraiment du singe, elle était probablement en train de retourner à un comportement ancestral.

Mais cette paix fut interrompue par le crissement d'un pas dans l'allée de gravillons. Un sixième sens en alerte, elle sut que l'intrus était Slade, avant même de le voir. Il s'arrêta à l'instant même où il pénétra dans son champ de vision et leva la tête vers son refuge.

Lisa sentit son cœur cabrioler traîtreusement à sa vue. Il portait une chemise de sport imprimée, au col ouvert, et un pantalon bleu. Il fixait sur elle un regard impassible.

— Allez-vous en ! lança-t-elle sèchement.

— Je veux vous parler, Lisa, fit-il avec calme.

— Je n'y tiens pas, répondit-elle d'un ton boudeur.

— Ne faites pas l'enfant, la gronda-t-il. Et descendez de cet arbre.

— Comment avez-vous su où me trouver ? demanda-t-elle en ignorant son ordre.

— Mildred m'a dit qu'elle vous avait vue, par la fenêtre, flâner dans les environs. J'ai trouvé Mitzi si souvent dans cet arbre que c'est, machinalement, le premier endroit où j'ai pensé regarder.

— Mitzi ? Dans cet arbre ? répéta Lisa qui imaginait mal sa tante grimpant encore aux arbres à cinquante ans passés.

— Oui, répondit sèchement Slade. Votre tante est remarquable à plus d'un point de vue. Si vous ne descendez pas, c'est moi qui vais monter. Vous risquez de trouver l'endroit un peu étroit pour deux.

Lisa le savait capable de mettre sa menace à exécution. Elle lui jeta un coup d'œil furieux. Il avança d'un pas vers le tronc.

— Je descends ! ronchonna-t-elle en se glissant vers les traverses disposées en échelle.

A quelques dizaines de centimètres du sol, deux mains la saisirent par la taille pour la poser à terre. Lisa se dégagea de cette étreinte dès qu'elle se retrouva en équilibre, sur ses deux pieds. Mais la rapidité de son pouls ne s'atténua pas pour autant.

— Que me voulez-vous ? le défia-t-elle sèchement.

La seule présence de Slade la rendait fébrile.

Il la dévisagea longuement en silence avant de parler :

— Mitzi m'a dit que vous aviez pleuré.

Lisa écarta d'un coup sec la main qu'il tendait vers ses lunettes, défendant instinctivement son identité.

— Elle n'avait pas le droit de vous raconter cela !

Il lui était impossible de nier : même les lunettes fumées dissimulaient mal les ravages de ses larmes.

— Mitzi a rarement eu dans sa vie l'occasion de jouer la mère poule. Vous ne pouvez pas lui en vouloir de voler au secours du petit poussin qu'elle abrite sous son toit. A vous voir maintenant, je comprends qu'elle m'ait fait un sermon sur ma conduite. Vous donnez vraiment l'impression d'être singulièrement vulnérable, et d'avoir besoin de protection.

— Vous vous trompez. Vous êtes tous les deux dans l'erreur. Je me débrouille très bien toute seule.

— Vraiment ? fit-il en la regardant d'un air sceptique et vaguement moqueur. C'est curieux, mais vous ne ressemblez plus à une nièce cupide. Vous avez plutôt la mine d'une petite fille qui a un gros chagrin...

— Allez-vous me laisser tranquille ? demanda-t-elle d'une voix enrouée. Je n'ai pas besoin de pitié. Et surtout pas de la vôtre.

— Je ne vous l'offre pas.

Lisa se détourna nerveusement.

— Que faites-vous ici ? Qui vous a invité ?

— Je me suis invité tout seul. Je voulais vous voir.

— Pourquoi ? riposta-t-elle aigrement. Vous aviez peur qu'après la soirée d'hier, je ne revienne sur notre accord ?

— J'avoue que l'idée ne m'en est pas venue. J'aurais peut-être dû y songer.

— Oui, peut-être.

Il l'agrippa par le haut des bras pour la tourner vers lui. Elle courba les épaules pour éviter son contact torturant et délicieux à la fois et continua de détourner le visage pour ne pas rencontrer son regard autoritaire.

— Lâchez-moi, Slade ! lança-t-elle d'une voix étranglée. Je ne reviendrai pas sur notre accord.

Il resserra son étreinte sur la chair tendre de ses bras pour l'attirer vers lui. Lisa leva les mains pour se protéger, mais l'une d'elles effleura accidentellement la peau de Slade par l'entrebaïillement du col de sa chemise. La chaleur de son corps lui fit l'effet d'un fer rouge, lui donnant des fourmillements dans les doigts.

— Hier soir... commença Slade d'une voix tendue.

— Je m'efforce d'oublier hier soir, coupa Lisa, haletante. C'est une soirée que je veux rayer de ma mémoire.

— Je suis venu ici ce matin avec l'intention de vous présenter mes excuses et de proposer que nous oubliions tous deux ce qui s'est passé hier soir. Mais je ne veux pas l'oublier, fit-il, la voix rauque. Non, c'est impossible.

Son haleine caressait les cheveux de Lisa qui, le regard fixé sur son cou hâlé, observait le pouls de sa gorge battre aussi follement que le sien.

— Je ne veux pas de relations intimes avec vous, protesta-t-elle avec un gémissement qui avouait le contraire. Cela compliquerait trop de choses.

— Croyez-vous que je n'en sois pas conscient ? fit-il d'un air sinistre.

— Alors, laissez-moi tranquille.

Il proposa exactement l'inverse :

— Passez la journée avec moi, Lisa. Mitzi va l'occuper à travailler et elle m'a déjà dit que vous ne voyiez pas vos amies aujourd'hui.

— Non, fit-elle en secouant la tête. Je ne peux pas. Je ne veux pas !

— Nous ne parlerons ni de Mitzi ni de son argent, promit Slade. Nous oublierons tout cela. Ce sera juste vous et moi en tête à tête.

Passer la journée en compagnie de Slade, juste comme un homme et une femme. La tentation était presque irrésistible.

— Non ! refusa-t-elle en tremblant de regret.

— Quelle stupide entêtée vous faites ! lança-t-il avec irritation. Vous étiez pourtant assez humaine pour pleurer, la nuit dernière. Que cela me plaise ou non, ne comprenez-vous pas que je suis en train de tomber amoureux de vous ?

Le souffle coupé, Lisa leva la tête et le dévisagea avec ahurissement. Ses traits burinés montraient une expression farouche et déterminée.

— Ce n'est pas possible, haleta-t-elle.

— Croyez-vous que ce soit facile de l'accepter ou de l'admettre ? demanda-t-il avec un sourire amer.

— Je ne sais pas. Vous ne pouvez pas m'aimer, fit-elle d'un air perplexe.

— C'est ce que je n'ai cessé de me répéter depuis que j'ai quitté cette maison hier soir , admit-il tandis qu'une expression cynique lui creusait les commissures des lèvres. Mais je vous connais sous votre jour le plus noir, Lisa. J'aimerais maintenant vous voir sous le plus favorable.

Oui, l'inverse était aussi vrai : elle connaissait Slade sous ses dehors les plus affreux. Mais le savoir malhonnête ne changeait rien à son attirance pour lui. La différence entre eux, c'était qu'elle hésitait à conjuguer le verbe aimer avec les sentiments qu'il lui inspirait. Mais son cœur le savait bien, lui, si sa raison se refusait à l'accepter.

— Ça ne changerait rien, ça ne ferait que rendre la situation plus difficile encore, répliqua-t-elle, ne pouvant se résoudre à se rendre à son invitation.

— Allez savoir ! fit-il en haussant un sourcil ironique. Sans dispute pour la pimenter, il se pourraît que je trouve votre compagnie mortellement ennuyeuse.

Lisa retint sa respiration un instant, puis laissa échapper dans un long soupir :

— Non, je ne peux vraiment pas y aller.

— Pourquoi ?

— Ce... ce serait trop risqué, avança-t-elle lamentablement pour toute excuse.

— Pourquoi ? Parce que vous risqueriez de découvrir que vous m'aimez ? Y aurait-il une chance que ce soit possible ?

— Oui, finit-elle par admettre dans un souffle.

La lumière brûlante qui s'alluma dans les yeux de Slade lui coupa la respiration.

— S'il y a la moindre chance pour cela, fit-il d'une voix tendue, la question peut trouver une réponse sur-le-champ.

Elle ouvrit la bouche pour protester, mais celle de Slade la réduisit au silence en s'emparant avidement de ses lèvres. Lisa s'abandonna, répondant fiévreusement à son baiser, et noua les bras autour de son cou.

Etroitement serrée contre lui, elle n'avait plus conscience du temps. Plus rien n'existait que la magie de ses bras autour d'elle. Son cœur chantait un hymne païen.

Il la poussa contre le tronc de l'arbre et s'appuya

contre elle de tout son poids. Quand il passa ses mains sous son débardeur, leur contact sur sa peau nue lui donna un plaisir aigu, proche de la douleur.

Brûlant de sentir sous ses doigts, la nudité de sa chair musclée, elle voulut glisser la main dans sa chemise. Mais, n'ayant pas la même dextérité que lui, en se débattant avec les boutons, elle se heurta le coude contre l'écorce du tronc et laissa échapper un cri de douleur.

Slade se redressa immédiatement et l'éloigna de l'arbre sans la lâcher.

— Ce n'est pas l'endroit idéal pour vous faire l'amour, murmura-t-il, avec un petit rire haché, au creux de son oreille.

Lisa blottit sa tête contre son épaule, tremblante encore d'un émoi qui ne pouvait trouver sa plénitude que dans l'accomplissement de leur désir. Elle laissa inconsciemment échapper son nom.

— Vous m'aimez ? demanda-t-il en retour.

— Oui, admit-elle en fermant les yeux devant cette vérité effrayante.

— Et vous passerez la journée avec moi ?

— Oui, répondit-elle en tremblant.

Ses bras se resserrèrent autour d'elle.

— Imaginez-vous à quel point je vous désire ?

— Je crois, fit-elle, la tête appuyée au creux de son épaule.

— Mais il est encore trop tôt, déclara-t-il avec nervosité en frottant son menton contre les cheveux de Lisa.

Elle imaginait le froncement de ses sourcils au ton de sa voix, et demanda :

— Existe-t-il jamais une heure exacte et un endroit approprié ?

— J'en doute.

Il la prit par le menton et tourna son visage vers lui. Il avait une expression grave dans le regard.

— Lisa, je veux passer cette journée à mieux vous connaître. Je ne veux pas dire physiquement, nous aurons tout le temps pour cela plus tard. Je veux tout savoir sur votre famille et vos amis, ce qui vous plaît ou vous déplaît.

— Oui.

Elle semblait vouée à être d'accord avec tout ce qu'il disait. Mais cela ne durerait pas toujours. Peut-être était-ce pour cette raison qu'elle vivait aussi intensément ces quelques instants.

Il lui vola un petit baiser.

— Je vais avoir du mal à tenir mes mains éloignées de vous quand je vous vois d'aussi délicieuse humeur, mais j'essaierai, promit-il avec une tranquille arrogance, pourvu que vous ne me provoquiez pas.

La tenant par les poignets, il l'écarta de lui et reprit :

— Courez dire à Mildred que vous m'accompagnez. Je vous ramènerai à temps pour le dîner.

— Est-ce que je me change ? Je veux dire...

Elle baissa les yeux sur son débardeur et son blue-jean fripés.

— Vous êtes parfaite telle quelle, assura-t-il.

— Très bien. Accordez-moi juste cinq minutes pour me donner un coup de peigne et mettre du rouge à lèvres.

— Non, fit-il en resserrant son étreinte sur ses poignets au lieu de les lâcher pour la laisser partir vers la maison. Non, ni coup de peigne ni rouge à lèvres. Je veux vous voir telle que vous êtes maintenant... avec cet air échevelé par mes baisers.

— Slade, que vont penser les gens ?

Elle se sentait à la fois embarrassée et bouleversée par l'intonation possessive de sa voix.

— Que nous sommes amoureux, fit-il d'un ton très satisfait, et que je vous ai fait l'amour comme un forcené. Ce n'est pas vrai, mais vous ne perdez rien pour attendre.

8

Ils passèrent la fin de la matinée et l'après-midi à rouler, Slade ayant dit que ce serait pour lui le meilleur moyen de ne pas céder à la tentation de faire autre chose que parler.

Ils traversèrent le Bas Pays de Caroline du Sud des environs de Charleston, ne s'arrêtant que pour déjeuner et pour prendre un rafraîchissement dans le courant de l'après-midi.

Lisa ne se souvenait pas d'avoir jamais autant parlé d'elle. Mais ils avaient tous deux beaucoup parlé : de leur enfance, de leur famille et de leurs amis ; de leurs occupations professionnelles et de leurs loisirs ; de leur musique préférée et des livres qu'ils avaient lus. Ils évitèrent l'un et l'autre soigneusement toute allusion à Mitzi Talmage.

Myrtle Beach et le Golden Strand se trouvaient maintenant loin derrière eux. Chaque tour de roue les rapprochait de Charleston. Il était inévitable que cette journée ait une fin, songea Lisa en voyant un panneau de signalisation indiquer qu'il restait dix kilomètres avant Charleston. Elle aurait souhaité qu'il y en eût encore cent et laissa échapper un léger soupir de regret.

— Qu'est-ce qui ne va pas ? lui demanda Slade qui avait entendu le bruit imperceptible.

— Rien, répondit-elle. Y aurait-il une nouvelle mode pour les paniers ? demanda-t-elle pour changer de sujet. J'ai rarement vu autant de stands qui en vendent le long de la route. Regardez cela !

— Vous les avez sûrement déjà vus, fit-il avec un froncement de sourcils.

— Non, pas que je me souvienne.

— Mais vous avez pourtant obligatoirement emprunté cette route pour aller aux Jardins de Brookgreen, dit-il en la regardant avec curiosité.

— Oh, fit-elle avec un rire gêné, je suppose qu'ils nous auront échappé, tant nous étions absorbées par nos papotages. Vous savez comment sont les femmes entre elles. Peg, Susan et moi ne sommes pas différentes.

Slade opina et demanda :

— Alors, vous ignorez probablement tout de l'art de la vannerie du Bas Pays.

Il ralentit et sortit de la route pour s'arrêter devant un stand.

— Cette vannerie est un artisanat africain introduit ici par les esclaves. Les procédés de fabrication et les modèles se sont transmis d'une génération à l'autre. Avec, parfois, un nouveau dessin inventé par un nouvel artisan au fil des ans. Venez, allons voir de plus près. Nous ne pouvons pas négliger votre éducation, se moqua-t-il gentiment.

Il y avait des paniers de toutes les formes et de toutes les tailles, certains avec des motifs compliqués, d'autres simples, certains avec des couvercles, d'autres ouverts. Une noire âgée, assise derrière l'éventaire, était occupée à tresser le début d'un nouveau panier. Ce qui ne l'empêcha pas de se rendre compte que Slade et Lisa observaient son étalage.

— Ce sont généralement les femmes qui font la vannerie de fantaisie, expliqua Slade, et les hommes la grosse. C'est-à-dire les grands paniers qui étaient, et sont encore parfois, utilisés aux travaux agricoles. Voici un van, fit-il en désignant un large panier à font plat et peu profond. On l'utilise pour vanner le riz sur la plus grande partie des récoltes dans les plantations des environs de Charleston.

Lisa ramassa un panier plus petit pour l'étudier de plus près.

— Le travail artisanal est magnifique, murmura-t-elle plus pour elle-même que comme un commentaire directement adressé à Slade. Comment les font-ils ? Avec quoi ?

— La vannerie fine se fait avec des brins d'osier tressés avec des brindilles de palmes. Les bandes sombres de certains paniers sont des décorations faites avec des aiguilles de pins.

Il lui montra les points des fibres de palmes qui partaient tout droit du centre du panier en rayonnant vers l'extérieur, et poursuivit :

— La grosse vannerie se fait avec des joncs et des rameaux de chêne ou de palmier pour les renforcer.

— On trouve les matériaux localement ?

— Naguère en grande abondance, mais plus de nos jours. De grandes étendues de terre où ils poussaient ont maintenant été urbanisées. Ce qui rend de plus en plus difficile l'approvisionnement des vanniers en matériaux naturels. Aimeriez-vous avoir celui-ci ? demanda-t-il en baissant les yeux sur celui qu'elle tenait à la main.

— Oui, il est très beau, mais...

Elle n'eut pas le temps d'ajouter qu'elle n'avait pas d'argent sur elle, Slade l'avait déjà interrompue :

— Le premier cadeau que je vous fais.

Il le lui prit doucement des mains pour aller en régler le prix à la vieille artiste noire. .

Quelques instants plus tard, ils roulaient à nouveau en direction de Charleston. Lisa tenait le petit panier sur ses genoux. Son premier cadeau de Slade. Il avait dit cela comme si ce devait être le premier de nombreux présents.

Mais payé avec l'argent de qui? Le sien ou celui de Mitzi? Elle regarda fixement par la vitre, souhaitant n'avoir pas eu cette pensée. Elle lui gâtait le plaisir du cadeau et, en quelque sorte, celui de la journée.

Ils roulèrent en silence pendant les derniers kilomètres jusqu'à la maison de Mitzi. Lisa était perdue dans des réflexions mélancoliques, et Slade, concentré sur la conduite, au milieu de la circulation qui s'était faite plus dense dès les abords de Charleston.

Chez Mitzi, les grilles de fer forgé de la rampe d'accès étaient ouvertes. Slade arrêta la voiture devant le portique et coupa le moteur. Il sortit de la voiture sans dire un mot et la contourna pour aller ouvrir la portière à Lisa. Ce faisant, il constata bien inutilement :

— Nous voici arrivés.

— Oui, répondit-elle sans plus d'originalité.

On eût dit qu'ils étaient incapables de rompre la tension qui s'était installée entre eux. Tout en avançant vers la porte principale de la maison, Lisa fit une tentative pour dénouer cette tension.

— Vous ai-je ennuyé, cet après-midi? demanda-t-elle, d'un ton qu'elle voulait badin, mais au fond duquel perçait une note d'anxiété.

— Il m'est rarement arrivé, dans ma vie, d'être autant... ennuyé par une femme, ironisa-t-il.

— Ne plaisantez pas, Slade, fit Lisa en détournant les yeux, la gorge nouée.

— Ne posez pas de questions stupides, Lisa, lui retourna-t-il.

Sur le seuil, la main posée sur la poignée, elle se tourna vers lui, se raidissant pour se donner une contenance. Elle aurait souhaité ne pas éprouver l'impression désagréable de le quitter à tout jamais.

— Vous entrez quelques minutes? demanda-t-elle.

— Non, répondit-il en appuyant un bras contre le chambranle, pour lui barrer l'entrée de la maison.

Sa tête brune se pencha vers celle de Lisa qui se porta à sa rencontre. La douce violence de son baiser lui démontra ce qu'avait dû être la contrainte imposée à sa passion tout le long du jour. Ses lèvres glissèrent de celles de Lisa vers le lobe de son oreille, et il murmura :

— J'ai attendu cela toute la journée. Cela, et bien plus encore.

Les yeux fermés, Lisa se lovait contre lui, en proie au délicieux tourment de l'aimer sans connaître le point culminant de cet amour. Elle frémissait de désir inassouvi sous la caresse de ses lèvres qui découvraient, avec une merveilleuse adresse, les zones sensibles du creux de sa nuque et de la naissance de sa gorge.

— Slade, ne me laissez plus jamais vous quitter, le supplia-t-elle tout à trac.

Frémissant de désir contenu, il resserra violemment son étreinte, et ses lèvres interrompirent leur caresse brûlante pour énoncer d'une voix rauque et impérative :

— Venez me retrouver cette nuit chez moi.

— Je ne peux pas, refusa Lisa à regret.

— Mais si, vous le pouvez ! fit-il en la serrant à l'étouffer. Après le dîner, vous pouvez abandonner Mitzi devant son café. Ou venir me rejoindre quand elle sera allée se coucher...

— Non ! protesta-t-elle tout en désirant follement accepter.

— Bon sang ! Lisa... commença-t-il rageusement, comme si son refus le mettait à la torture.

— Ce n'est pas de la pudibonderie, Slade, dit-elle en tremblant. Mais je ne peux pas faire cela à Mitzi. Elle est peut-être large d'esprit mais elle n'approuverait certainement pas que je me conduise ainsi chez elle.

— Vous avez raison, admit-il avec un profond soupir, en relâchant son étreinte. La mère-poule se sent outrageusement responsable de son poussin d'adoption. Si vous passiez la nuit avec moi, nous ne réussirions jamais à la convaincre qu'elle n'a pas échoué, d'une manière ou d'une autre, dans sa mission de veiller sur vous. Ce serait absurde de la blesser ainsi.

— Oui, nous ne voudrions pas qu'elle pense du mal de nous, convint-elle avec un peu d'amertume, en maudissant intérieurement l'argent de sa tante et la cupidité de Slade.

Il prétendait l'aimer ; néanmoins, son amour n'allait pas jusqu'à risquer de compromettre ses vues sur la fortune de Mitzi. Cette pensée l'assombrit, apportant une certaine modération à ses sentiments pour lui.

— Demain... commença Slade.

— Demain, le coupa-t-elle, je me consacre à Mitzi.

Il sembla sur le point de protester, mais changea sans doute d'avis.

— Très bien, j'attendrai donc lundi. Je vous emmènerai dîner et... nous aviserons ensuite, fit-il avec un sourire en coin.

— Oui, convint Lisa avec un sourire forcé, en sentant la tristesse l'envahir. Je ferais mieux de rentrer, maintenant, poursuivit-elle, en se dégageant fermement de ses bras. Bonne nuit ; Slade.

Il ne chercha pas à la retenir mais prononça simplement son nom, d'une voix rauque qui semblait la supplier de revenir dans ses bras. Quand ses doigts effleurèrent des mèches folles de sa chevelure argentée, Lisa ouvrit la porte et s'engouffra dans la maison.

Le battant refermé, elle s'y appuya, le cœur serré par la douleur d'aimer Slade. Quelques secondes plus tard, un claquement de portière et le vrombissement du moteur qui démarrait lui apprirent son départ.

Lisa eut l'impression que ce week-end n'en finirait jamais. Le lundi matin, tout en cheminant vers l'étude Blackwell, elle se demandait si elle allait ou non persévérer à jouer sa mascarade un jour de plus. Une réponse affirmative à cette question s'imposait. Seule, Ann Elridge pouvait découvrir l'étendue des détournements de Slade.

Drew la suivit dans le bureau du secrétariat, à son arrivée.

— Une rousse classiquement vêtue de noir, je ne connais rien de plus attrayant, fit-il avec un sourire gourmand.

Lisa essuya sa paume moite contre la hanche de son pantalon noir. Elle regrettait maintenant de n'avoir pas mis sa blouse sport réversible de son côté vert. Elle se serait sentie moins en deuil.

— La flatterie ne vous mènera nulle part avec moi.

— Pas même à accepter mon invitation à déjeuner?

— Non, refusa-t-elle, se sentant beaucoup trop tendue pour passer l'heure de midi à échanger avec lui des banalités.

— Je commence à désespérer que vous acceptiez jamais, soupira Drew.

La porte extérieure s'ouvrit sur Slade qui entra à longues enjambées, rayonnant de vitalité. Lisa fut éblouie comme par le soleil. Elle remercia le ciel de se trouver assise, surtout quand il s'avança droit sur son bureau et lui adressa un de ses sourires irrésistibles.

— Bonjour, Madame Elridge. Bonjour, Drew, fit-il en prenant le courrier du matin sur le bureau de Lisa.

— Bonjour, Monsieur Blackwell, répondit-elle en baissant les yeux pour éviter de le dévorer du regard.

Drew poussa un sifflement admiratif et demanda :

— Présente-la moi, Slade!

— Qui cela? demanda Slade en dévisageant son meilleur ami et associé avec le demi-sourire qui n'avait pas quitté ses lèvres depuis son arrivée.

— La fille qui a illuminé ton week-end au point que tu aies encore le sourire un lundi matin. Elle doit être étonnante pour te rendre aussi joyeux. Je voudrais bien la connaître.

— C'est hors de question ! lança Slade avec un rire heureux qui fit courir un frisson de délice sur la peau de Lisa. Elle est toute à moi, et j'entends qu'elle le reste.

Quand Slade eut disparu dans son bureau, Drew se tourna vers Lisa et lança :

— J'ai l'impression que Cupidon a touché son but ! Je jure avoir vu toutes les flèches d'un carquois plantées dans son dos. Je me demande qui est le plus veinard des deux, de Slade ou de la fille.

— Les deux, j'espère, fit Lisa en souhaitant qu'il pût vraiment en être ainsi.

— Avec Slade en pleine romance, et vous qui refusez de déjeuner avec moi, il ne me reste plus qu'à rejoindre ma mine de sel des lundis difficiles.

Drew venait à peine de sortir quand Slade ressortit de son bureau avec une pile de papiers et de dossiers qu'il vint déposer devant Lisa.

— Voilà, vous pouvez classer cela ce matin, Ann, fit-il en utilisant machinalement son prénom d'emprunt avant de repartir vers son bureau.

— Ne m'aviez-vous pas dit, vendredi dernier, que la première chose à faire ce matin serait de taper des contrats ?

Il s'arrêta sur le seuil, une expression d'insouciance sur son visage buriné.

— N'y pensez plus, fit-il avec un haussement d'épaules qui dénotait une indifférence bien inhabituelle envers l'importance des contrats. La dactylographie n'est pas votre fort. Il fait une trop belle journée pour qu'elle soit assombrie par des besognes fastidieuses. Les contrats peuvent attendre un jour de plus.

Elle en resta bouche bée. Mais Slade referma sa porte, sans paraître se rendre compte de ce que son comportement avait de surprenant. Mais Lisa y vit le signe qu'il l'aimait vraiment et, avec un sourire heureux, se tourna vers la pile de documents à classer.

Les lettres de la référence d'un dossier se mirent à danser sous ses yeux, formant le nom : Talmage Miriam. Lisa le sortit de la pile et le fixa comme s'il lui faisait peur. L'objet de sa convoitise se trouvait enfin entre ses mains. Elle ferma les yeux, souhaitant que cela ne fût pas arrivé.

Elle eut soudain l'impression que la sonnerie du téléphone lui déchirait les tympans. Elle hésita une seconde, puis glissa le dossier dans un tiroir de son bureau avant de répondre à l'appel téléphonique. Après avoir transféré l'appel à Slade, elle ignora le tiroir. Elle transporta la pile de documents sur le dessus d'un des classeurs métalliques, et commença de ranger les pièces à leurs places respectives.

Une heure plus tard, il lui en restait environ un tiers à classer quand Slade sortit de son bureau.

— Je m'absente pour une vingtaine de minutes, lui annonça-t-il, cette petite lueur joyeuse toujours dans le regard.

— Bien, Monsieur Blackwell.

Quand la porte fut refermée, elle alla s'asseoir à son bureau et se mit à regarder fixement le tiroir, les doigts crispés sur ses genoux. Puis elle tendit une main vers le téléphone ; elle avait une bonne raison pour repousser de quelques minutes l'inéluctable.

En partant de la maison, ce matin-là, elle n'avait pas dit où elle allait, ni quand elle serait de retour : elle n'avait pas encore décidé alors, si elle irait ou non au bureau. Elle composa le numéro de Mitzi, tout en préparant une histoire afin d'expliquer pourquoi elle ne rentrerait pas avant la fin de l'après-midi.

— Résidence Talmage, répondit-on au bout de la deuxième sonnerie.

— Mildred, c'est...

— Lisa, est-ce bien toi ? demanda la voix de Mitzi à l'autre bout de la ligne.

— Oui, c'est moi, répondit nerveusement Lisa. Je...

— Je suis si heureuse de t'entendre ! l'interrompit de nouveau Mitzi. Il y a exactement seize minutes que je viens de taper trois lettres magiques.

— Pardon ?

— Les trois lettres du mot « fin » ! dit Mitzi dans un éclat de rire. Je viens de terminer mon nouveau roman.

— C'est merveilleux, répondit Lisa avec un enthousiasme forcé.

— C'est divin ! Il faut fêter cela sans retard. Où es-tu ? Je te retrouve pour déjeuner dans un restaurant à la mode.

Lisa sentit le cœur lui manquer.

— Eh bien, Mitzi, je...

— Oh ! non, ne me dis pas que tu ne peux pas, fit Mitzi d'un ton navré. Si tu es avec tes deux amies, amène-les.

Lisa se passa la main sur le front ; elle commençait à sentir battre à ses tempes un début de migraine.

— Non, non. Elles ne sont pas libres. Mais je te retrouverai à midi. Où veux-tu fêter cela ?

Mitzi suggéra un restaurant qui se trouvait fort heureusement non loin du bureau, et Lisa promit de l'y retrouver. Si sa tante semblait au comble de la joie quand elle raccrocha le téléphone, Lisa, elle, se sentait plutôt démoralisée. Elle ouvrit le tiroir de son bureau pour prendre le dossier et, à cet instant même, Drew pénétra dans la pièce. Elle repoussa le tiroir avec un sursaut de culpabilité.

— Ah ! Ah ! Je vous surprends en train de vous faire les ongles, hein ? Si vous ne déjeunez pas avec moi, je le répète à Slade, plaisanta-t-il.

— Vous n'avez pas de chance ! Il est sorti, riposta Lisa avec une gaieté forcée.

— Où est-il allé ? demanda-t-il avec une mimique de dépit.

— Je l'ignore. Tout ce qu'il a dit, c'est qu'il s'absentait pour une vingtaine de minutes, fit-elle avec un haussement d'épaules, en se levant pour retourner vers les classeurs.

— Eh bien, dit Drew avec un profond soupir, il ne me reste plus qu'à vous tenir compagnie en attendant son retour. Que faites-vous ? demanda-t-il en se rapprochant d'elle.

— Du classement. Vous voulez me donner un coup de main ?

— Non, merci, fit-il avec un sourire en l'observant nonchalamment. Ainsi, vous ne voulez pas céder à mon chantage et déjeuner avec moi ?

— Non, refusa-t-elle de nouveau.

— Vous avez probablement raison. A supposer que je vous moucharde, Slade est d'assez belle humeur pour vous envoyer chez la manucure ! Non pas que vous en ayez besoin, dit-il en lui prenant une main qu'il retint. Tout est ravissant en vous, Ann, jusqu'à vos ongles. Ce n'est pas étonnant que vous ayez du mal à taper à la machine, fit-il en caressant du doigt l'arrondi d'un ongle.

— Maintenant, vous connaissez mes plus noirs secrets ! plaisanta-t-elle en lui retirant fermement sa main au moment où Slade pénétrait dans la pièce.

— Hé là ! pas de jeux de main pendant les heures de bureau ! gronda-t-il sur le ton de la plaisanterie. Son mari va débarquer ici, un de ces quatre matins, Drew, et tu te trouveras dans les ennuis.

Le téléphone sonna, coupant court à la réponse que Drew s'apprêtait à faire. Slade interrompit d'un geste le mouvement de Lisa pour s'approcher du téléphone. Il décrocha le combiné en lui disant :

— Je réponds... Slade Blackwell à l'appareil, annonça-t-il. Bonjour, Mitzi. Comment allez-vous?

Lisa, qui s'était détournée vers les classeurs pour ne pas le dévorer des yeux, se figea et fronça les sourcils.

— Vraiment? reprenait Slade au téléphone. Mes félicitations... A déjeuner, aujourd'hui?

Il semblait hésitant, et Lisa se tourna vers lui avec vivacité.

— Vous avez un déjeuner aujourd'hui, Monsieur Blackwell, lui rappela-t-elle, en souhaitant que sa voix ne trahisse pas sa panique.

Slade lui jeta un bref coup d'œil, puis sourit soudain au combiné du téléphone.

— Elle vous rejoint à midi? Bien sûr, Mitzi, comptez sur moi.

— Et votre rendez-vous? lui lança Lisa d'un ton accusateur quand il raccrocha.

— Avec qui était-ce? fit-il en jetant un coup d'œil parfaitement indifférent sur son agenda. Art Jones? Appelez-le et remettez-le à un autre jour.

— *Elle* va être là, fit Drew en appuyant emphatiquement sur le pronom féminin.

Slade lui décocha un regard étincelant, brûlant d'une joie intérieure.

— Je ne t'invite pas, Drew. La présence de sa tante est bien suffisante en elle-même, sans t'avoir, toi en plus, sur le dos.

— Tout le monde refuse de déjeuner avec moi! fit Drew sur un ton faussement plaintif.

— Pas de veine! gloussa Slade. Voulais-tu me voir pour une raison précise, Drew, où étais-tu seulement en train d'empoisonner Ann?

— Non, il y a quelque chose dont je veux discuter avec toi. Si tu penses toutefois pouvoir oublier cinq minutes la femme de ta vie pour parler affaires, plaisanta Drew.

— Monsieur Blackwell ? demanda Lisa pour réclamer son attention.

— Oui ? fit-il en se tournant vers elle d'un air curieusement absent.

— J'ai un rendez-vous chez le dentiste, à midi. Pourrai-je partir un peu plus tôt ?

— Bien sûr.

Lisa pénétra dans le restaurant avec quelques minutes de retard sur l'heure du rendez-vous. La perruque rousse rangée dans son sac à main, sa longue chevelure blond argenté flottait sur ses épaules. Sa blouse sport, retournée sur sa face verte, jurait un peu avec les lunettes bleutées perchées sur son nez.

Un mouvement à une table éloignée attira son attention. L'ayant vue entrer, Slade se levait pour aller à sa rencontre. Elle se sentit chanceler en le regardant venir vers elle. Non pas qu'elle cherchât à feindre la surprise en le trouvant là, mais en raison de la panique qui l'avait saisie. Elle prit sur elle pour la maîtriser pendant qu'ils s'avançaient l'un vers l'autre.

Elle n'eut pas trop de mal à lui sourire chaleureusement. Ce n'était pas bien difficile, avec son regard troublant pour attiser la flamme de son amour. Slade s'arrêta, pour la regarder franchir les derniers pas qui les séparaient encore.

Sans se soucier des autres clients du restaurant, il pencha sa tête brune vers celle de Lisa, et lui coupa la respiration par un baiser dont la brièveté les frustra l'un et l'autre. Quand il releva la tête, elle s'appuya contre lui, et il passa son bras autour de ses épaules pour l'emmener vers la table, en disant d'une voix rauque et caressante :

— Hello, vous ne vous attendiez pas à me trouver ici, n'est-ce pas ?

— Non. Mitzi ne m'avait pas avertie de votre présence, put-elle dire sans mentir.

Elle se sentait fondre sous le regard brûlant d'adoration qui se posait sur elle. Et le bras possessif passé autour de ses épaules accentuait encore cette impression.

— Cette journée de dimanche a été la plus longue de ma vie, murmura-t-il pour elle seule.

— Pour moi aussi, répondit-elle dans un souffle.

Ils approchaient de la table où Mitzi les attendait, et Lisa dut s'arracher à sa contemplation émerveillée du beau visage buriné de Slade.

— Hello, Mitzi. Je suis désolée d'être en retard, fit-elle d'une voix où la présence de Slade mettait encore la chaleur du velours.

— Ça ne m'a pas du tout dérangée d'attendre. En revanche, je crois que Slade s'impatientait, répondit sa tante avec un sourire entendu.

Elle les dévisageait avec des yeux si pétillants de malice, que Lisa devint rouge comme une pivoine en s'asseyant sur la chaise que Slade lui avançait.

— Je viens de remarquer une chose amusante, dit-il en prenant place à sa gauche avec un sourire un peu étonné. Vous portez le même parfum que ma secrétaire.

Lisa se tendit, chacun de ses muscles et de ses nerfs en alerte devant le danger de la comparaison.

— Vraiment ? demanda-t-elle d'un ton un peu froid.

— Jalouse ? la taquina-t-il, sans se soucier, semblait-il, de révéler à Mitzi le tour nouveau de leurs rapports. Vous ne devriez pas. Cela prouve à quel point votre image hante chacun de mes instants.

— C'est un parfum banal, que l'on trouve dans tous les supermarchés, assura-t-elle.

— Il va pourtant parfaitement à Lisa, intervint Mitzi. Il fait très femme sans être entêtant.

— Puisque nous parlons de ce qui vous va, Lisa, je

n'aurais pas imaginé que le vert fût votre couleur. Vous êtes pourtant ravissante dans cet ensemble.

— Merci, répondit-elle nerveusement.

— Bien sûr que le vert est sa couleur ! s'exclama sa tante. Comment ne le serait-il pas avec ces...

L'apparition du serveur, apportant une bouteille de champagne dans un seau à glace, évita que fût mentionné le vert des yeux de Lisa et lui permit de couper la parole à sa tante :

— Du champagne ! C'est une vraie fête, pour la fin de ce livre.

Ils trinquèrent au succès du nouveau roman de Mitzi, et la conversation se mit à rouler sur l'intrigue et les personnages du livre, procurant à Lisa l'occasion de se détendre.

Quand Slade eut à nouveau rempli les verres, Lisa tendit machinalement la main vers le sien pour prendre une gorgée de champagne. Mais il interrompit son geste en lui demandant d'attendre un instant. Il glissa sa main dans la poche intérieure de son veston en disant :

— Je n'ai pas l'intention de vous couper vos effets, Mitzi, mais nous avons autre chose à fêter.

Ahurie, Lisa ne comprit pas ce qu'il voulait dire avant de voir dans sa main un écrin de velours. Elle retint sa respiration quand il l'ouvrit sur le scintillement d'une bague ornée d'un diamant.

— Je ne voulais pas vous l'offrir avant ce soir, dit-il d'une voix rauque. Mais, quand j'ai su que nous allions déjeuner ensemble, je me suis senti incapable d'attendre plus longtemps. Donnez-moi votre main, Lisa.

Ivre de joie, elle était incapable de parler ou de bouger. Des larmes de bonheur brillaient dans ses yeux en le regardant. Et la lueur brûlante qui rayonnait dans les yeux de Slade lui disait assez la profondeur de ses sentiments. Avec un sourire, il lui prit la main gauche et l'attira vers lui. Un froncement de sourcils altéra aussitôt ses traits.

— Qu'est-ce que c'est que ça ? demanda-t-il.

Cillant de confusion, Lisa baissa les yeux sur sa main. Elle pâlit à la vue de l'alliance en or qui ornait son annulaire. Elle avait oublié de la changer pour sa bague porte-bonheur. Elle l'enleva prestement de son doigt.

— C'est un gage d'amitié que m'ont donné mes amies ce matin, mentit-elle désespérément. Elle était trop petite pour que je la porte à la main droite.

Elle était incapable de savoir si Slade la croyait ou non. Elle avait l'impression que l'anneau d'or serré dans sa main droite la brûlait. Mais elle n'osait pas le mettre dans son sac, de peur que Slade n'y aperçût la perruque rousse.

— Voulez-vous que je la porte chez le bijoutier pour qu'il l'élargisse ? proposa Slade en la dévisageant attentivement.

— Ce n'est pas la peine, je le ferai moi-même, refusa-t-elle en faisant rapidement disparaître l'alliance dans la poche de sa blouse.

— Dépêchez-vous de glisser cette bague à son doigt, Slade, le pressa Mitzi. Je meurs d'impatience de la voir sur elle.

La main de Lisa tremblait nerveusement quand Slade passa le diamant à son annulaire. Il ne lui vint pas à l'esprit de le refuser. Et, quand il lui sourit, elle sut qu'elle l'aimait, et que rien n'était plus important.

— Elle vous plaît ? demanda-t-il.

— Elle est très belle, sourit Lisa.

— Somptueuse serait un mot plus juste ! s'exclama Mitzi en avançant la main pour prendre celle de Lisa afin d'examiner la bague de plus près. A vous deux, vous venez de me rendre la femme la plus heureuse du monde. J'aurais toutefois dû me douter, à voir les étincelles jaillir entre vous dès votre première rencontre, que vous me réserveriez quelque chose de ce genre.

— Je vous avais bien dit qu'elle trouverait une bonne raison ! fit Slade moqueur.

— Quand aura lieu le mariage ? voulut savoir Mitzi, toujours en admiration devant la bague.

— Bientôt, fit Slade avec son assurance accoutumée. Très bientôt.

Mitzi proposa un toast, et ils bavardèrent encore agréablement de choses et d'autres avant de passer la commande de leur repas. Mais une sensation de malaise ne quitta plus Lisa de tout le déjeuner.

Cette appréhension ne prouvait cependant aucune justification dans l'attitude de Slade. Il continuait de lui tenir la main tendrement et de la couver d'un regard caressant. Son angoisse semblait donc tenir seulement à un problème personnel : son sentiment de culpabilité.

Le repas était fini, et la table desservie, mais ni Mitzi ni Slade ne semblaient désireux de mettre un terme à leur rencontre. Lisa, elle, avait une conscience aiguë de l'écoulement du temps. L'aiguille des minutes de sa montre se rapprochait de la demie de treize heures. Ann Elridge était censée ne prendre qu'une heure à la coupure du déjeuner.

Elle tenta vainement à deux reprises de trouver des excuses pour motiver son départ. Slade usa chaque fois de tout son pouvoir de séduction pour la retenir. Alors qu'elle venait à peine de se fiancer, Lisa aurait difficilement pu montrer une trop grande hâte de s'en aller. Elle dut attendre que l'un d'eux fît le premier mouvement.

Slade jeta enfin un coup d'œil indifférent sur sa montre et soupira :

— Il est près de deux heures. Malgré tout mon regret de vous quitter, je dois pourtant aller au bureau.

— Je comprends très bien, lui assura Lisa avec un sourire de soulagement.

En se levant de table, il posa une main sur son épaule et fit tout d'abord ses adieux à Mitzi avant de baisser les yeux vers la jeune fille.

— Je vous retrouve à sept heures, ce soir, si ce n'est avant, lui dit-il.

— Oui, répondit-elle en levant la tête vers lui pour recevoir son baiser.

Elle devait encore se transformer en Ann Elridge, quelque part en chemin ; il ne lui restait pas la moindre chance de le battre de vitesse pour arriver à l'étude avant lui. Elle flâna donc quelques minutes de plus avec sa tante avant de recourir au sempiternel prétexte d'un rendez-vous avec Susan et Peg pour lui fausser compagnie.

— Sauve-toi vite, dit Mitzi sans se plaindre d'être sans cesse abandonnée. J'imagine ce que doit être ton impatience de montrer à tes amies ta bague de fiançailles.

9

Cette fois, Lisa ne négligea pas le plus infime détail en procédant à sa transformation. C'est forte de cette certitude qu'elle pénétra dans le bureau sous la personnalité d'Ann Elridge. Ce qui ne l'empêcha pas de se sentir les jambes en coton devant le regard perçant de Slade. Grand et imposant, il se tenait près du bureau de Lisa.

— Savez-vous qu'il est plus de deux heures ? lui demanda-t-il sèchement.

— Excusez-moi. Je me savais en retard mais je ne pensais pas que c'était à ce point. Mon dentiste avait pris du retard dans l'étalement de ses rendez-vous. Je n'aurais pas dû attendre mais je n'ai pas imaginé qu'il en aurait pour aussi longtemps. Si vous le désirez, je resterai plus tard ce soir.

— C'est inutile, fit Slade qui parut accepter son explication.

Lisa dut le contourner pour s'approcher de sa table de travail. Elle déposa son sac à main dans le dernier tiroir du bureau avant de s'asseoir en s'efforçant de prendre une attitude professionnelle.

— Je vous remercie de votre compréhension, fit-elle avec un petit sourire nerveux. Quand vous m'avez donné la permission de partir plus tôt, je n'avais pas l'intention d'en abuser.

— Vous m'en voyez convaincu, fit-il d'un ton uni. Je suis rentré moi-même depuis quelques minutes seulement.

Lisa sentit sa tension s'accroître dangereusement.

— Ah oui ? demanda-t-elle d'un ton faussement désinvolte. Nous avons l'un et l'autre empiété sur l'heure du déjeuner, on dirait.

— Et nous avions à cela tous deux de bonnes raisons. Vous, vos problèmes avec votre dentiste ; et moi, dit-il en marquant une pause comme pour mettre en relief ce qui allait suivre : parce que je me suis fiancé, ce midi.

— Vraiment ? Toutes mes félicitations ! Voici des nouvelles bien agréables, Monsieur Blackwell, fit-elle en se sentant devenir toute petite.

Après cette déclaration, Lisa s'attendait à le voir la quitter, mais il n'en fit rien. Il restait immobile à côté d'elle. Elle sentait qu'elle allait perdre contenance s'il ne s'en allait pas.

— Vous désirez me dire quelque chose, Monsieur Blackwell ? demanda-t-elle dans l'espoir de le pousser à partir. Peut-être vous absenterez-vous le reste de l'après-midi ? Où s'agit-il d'autre chose ?

— D'autre chose... fit-il en marquant un temps.

— Oui ?

Il se baissa pour ouvrir le tiroir dans lequel se trouvait le dossier de Mitzi, tout en disant :

— Pourriez-vous m'expliquer ce que ceci fait dans votre tiroir ?

— Ce dossier ? demanda Lisa, la gorge nouée d'angoisse. Il se trouvait avec la pile de documents que vous m'avez donnée à classer ce matin. Je n'ai pas eu le temps de le ranger dans le classeur avant de partir. Je l'avais mis dans ce tiroir pour ne pas le laisser traîner.

— Je vois, murmura-t-il.

— Je... heu... vais le classer tout de suite, bégaya Lisa.

Elle prit le dossier avec des mains tremblantes et se leva pour aller le mettre dans le classeur. Slade la suivit d'un pas nonchalant. Sa présence commençait à lui mettre les nerfs à vif. Elle se demandait combien de temps encore elle pourrait la supporter. Elle cherchait la place exacte du dossier de Mitzi dans le tiroir de classement, quand il demanda de manière tout à fait inattendue :

— Avez-vous eu le temps de manger quelque chose ?

— Non, mentit-elle. Mais c'est excellent pour ma ligne.

Elle regretta immédiatement cette allusion à sa silhouette en le voyant la détailler de la tête aux pieds, avec un regard qui lui fit l'effet d'une onde de choc propagée dans tout son système nerveux.

— J'allais oublier de vous complimenter sur l'ensemble que vous portez. Il est ravissant, dit Slade en suivant légèrement du doigt la pointe du col de sa blouse. Dans un vert assorti à la couleur de vos yeux, il aurait toutefois été beaucoup plus seyant.

Quand il commença de glisser son doigt vers les boutons de sa blouse, Lisa sortit de la léthargie dans laquelle l'avait plongée sa surprise. Elle retrouva le contrôle de ses muscles pour se mettre hors de portée.

— Je vous en prie, Monsieur Blackwell, ne faites pas cela ! protesta-t-elle, prise de panique.

— Ne faites pas cela, Monsieur Blackwell ! parodia-t-il dans un hurlement de colère qui laissa Lisa ahurie.

L'écho de son rugissement résonnait encore dans ses tympans quand il l'attira violemment contre lui. Elle eut le souffle coupé par cette brutale entrée en contact avec son torse musclé. Il ne lui laissa pas le temps de le reprendre. Sa bouche lui écrasa sauvagement les lèvres.

Slade poursuivit son assaut brutal sur la douceur de

ses lèvres jusqu'à ce qu'elle n'ait plus la force de résister à son baiser, même si elle en avait trouvé la volonté.

Quand il eut fini de passer sa colère sur elle, il la lâcha brusquement. Elle recula en chancelant, cherchant à tâtons la solidité des classeurs métalliques pour y prendre appui. Mais Slade n'en avait pas terminé avec elle. Il la suivit et l'emprisonna, face à lui, entre ses bras appuyés contre le classeur.

— Pour quelle sorte d'imbécile me prenez-vous? gronda-t-il.

— Slade, laissez-moi vous expliquer.

Le cœur battant à se rompre, Lisa avait du mal à reprendre sa respiration, et ses jambes tremblaient encore de la rage violente de son baiser.

— Avez-vous vraiment cru, Lisa, que je continuerais d'être aveugle parce que je n'avais pas deviné votre mascarade dès le début?

Un muscle de sa mâchoire tressautait convulsivement, montrant le peu d'emprise qu'il avait sur sa colère.

— Vous ne comprenez pas, protesta-t-elle.

— Je comprends très bien. En voyant cette alliance à votre doigt, à midi, j'ai commencé de remettre en place toutes les pièces du puzzle, dit-il d'une voix glaciale et méprisante.

Si un signe quelconque avait pu l'informer qu'elle allait être démasquée, elle aurait au moins pu préparer sa défense. Mais non, Slade l'avait laissée débiter de nouveaux mensonges, la laissant supposer qu'il les croyait. Puis il avait bondi sur elle avec l'agilité d'une panthère sur une proie sans défense. Elle était toute à sa merci.

— Je... s'interrompit-elle, intimidée par sa puissance virile et la ligne brutale de sa mâchoire crispée.

— Assez de mensonges, Lisa!

Il balaya sa tentative d'explication et se rapprocha

d'elle d'un air menaçant, comme s'il voulait à tout jamais la réduire au silence.

Lisa s'aplatit contre le classeur métallique et sentit son contact froid sous ses mains. Slade saisit son bras gauche et le souleva brutalement en le serrant dans une poigne d'acier.

— Où est ma bague ? fit-il d'un ton accusateur.

La douleur qu'il lui causait n'était pas seulement physique. Sa voix coupante lui infligeait une angoisse psychologique qui lui allait droit au cœur et la blessait profondément. Ne recevant pas de réponse immédiate à sa question, Slade augmenta la pression de ses doigts, sans prendre garde à la rudesse de son étreinte.

— Dans ma poche, haleta-t-elle en retenant un cri de douleur.

— Vous ne lui avez même pas laissé le temps de se réchauffer au contact de votre peau avant de l'enlever, grommela-t-il sauvagement. Et vous l'avez enlevée pour mettre cela ! lança-t-il sarcastiquement, la lèvre supérieure relevée dans un rictus méprisant, en lui élevant la main à la hauteur de ses yeux.

— Laissez-moi une chance...

— Non ! vociféra-t-il en portant sa main libre autour de la gorge de Lisa avec un regard menaçant. Vous avez eu votre dernière chance.

Mais elle n'avait pas vraiment peur. Son instinct lui disait que Slade, quelle que fût sa colère, n'irait jamais jusqu'à user réellement contre elle de violence physique. Il n'en avait d'ailleurs pas besoin puisque, rien qu'avec des mots, il avait le pouvoir de lui déchirer le cœur.

La porte de la réception s'ouvrit sur Drew qui pénétrait sans se presser dans le bureau de Lisa. Il s'arrêta brusquement en les voyant. Il en resta bouche bée quelques secondes.

— Mais Slade, bon Dieu ! qu'est-ce qui te prend ?

demanda-t-il, comme s'il n'en croyait pas ses yeux. Ann...

— Non, pas Ann ! coupa Slade.

Il lâcha la gorge de Lisa pour saisir sa perruque. Avec un cri de douleur, elle lui attrapa le poignet et protesta :

— Slade, elle est épinglée !

— Alors, enlevez les épingles et retirez cette saleté !

Il lui rendit toute sa liberté de mouvement et recula d'un pas. La fureur irradiait de lui, bien qu'il fût immobile comme une statue.

Dans un silence total, Lisa retira les épingles à cheveux qui maintenaient la perruque. Drew, lui, restait figé et ahuri ; son étonnement fut à son comble quand il vit la longue chevelure blond argent de Lisa crouler sur ses épaules. Mais Slade la regarda faire d'un air impassible, sans que le moindre signe de satisfaction vînt adoucir la rigidité de ses traits déformés par la colère.

Il arracha le postiche des mains sans force de Lisa. Puis, se tournant vers Drew, il lui lança à la volée la perruque rousse.

— Tiens ! Puisque tu aimes tellement les cheveux roux, prends donc ceux-ci et décampe !

Drew, qui avait attrapé la perruque par réflexe, la contemplait d'un air confondu. Il n'avait pas l'air de très bien comprendre ce qui se passait.

— Mais... fit-il en relevant les yeux vers Slade.

— Décampe ! lui lança de nouveau Slade aigrement.

Drew jeta un regard indécis vers Lisa et finit par se détourner pour repartir d'un pas hésitant en direction de la réception. Il referma lentement la porte derrière lui. L'attention de Slade se reporta sur Lisa, mais elle sentit que l'interruption de Drew lui avait rendu un peu de sang-froid.

Il la dévisagea fixement, la jaugeant d'un regard aigu.

— Cette perruque était un parfait attrape-nigaud,

Lisa, fit-il avec amertume. Je n'avais pas supposé un instant qu'Ann et Lisa fussent une seule et même personne. Mais c'est bien là-dessus que vous comptiez, n'est-ce pas ?

Il aurait été complètement vain de le nier. Dans un geste las, Lisa se passa les doigts dans les cheveux pour les ramener en arrière, et arrêta sa main sur sa nuque, comme pour essayer d'en atténuer la tension.

— Et la duplicité de vos yeux verts ! siffla-t-il entre ses dents. Elle n'a d'égale que les inventions qui vous viennent si facilement aux lèvres.

Il l'attira de nouveau violemment contre lui. Son cœur se mit à palpiter avant même que sa bouche prît la sienne dans un long baiser avide. Elle se laissa emporter par l'orage de sa passion et, pendant quelques instants de délire, elle lui répondit avec une fièvre égale à la sienne.

Il referma ses bras autour d'elle comme un étau, pendant qu'elle s'agrippait des mains à ses épaules musclées. A l'instant où elle se disait que Slade l'aimait assez pour lui pardonner de l'avoir dupé, il cessa de l'embrasser. Quand elle vit ses lèvres se serrer en un rictus de dégoût et de mépris, ce fut comme s'il lui plantait un couteau dans le cœur.

Elle appuya son front contre lui pendant qu'un gémissement de protestation lui montait aux lèvres :

— Peu importe ce que vous pouvez penser de moi, Slade. Cela n'empêche pas que je vous aime.

Il la repoussa avec violence et s'éloigna d'elle à longues enjambées. Quand il eut mis une bonne distance entre eux, il s'arrêta et lui jeta un regard furieux par-dessus son épaule.

— M'aimez-vous vraiment ? demanda-t-il d'un ton sarcastique. Où prétendez-vous m'aimer parce que cela vous arrange ?

— Non, cela ne m'arrange pas de vous aimer! riposta-t-elle d'une voix étranglée.

Et c'était bien vrai. Garder le silence sur son emploi abusif de l'argent de Mitzi ou le dénoncer, le choix n'avait rien de facile. Pour résoudre ce dilemme, il aurait certainement été plus pratique de ne pas l'aimer.

Slade détourna la tête et leva les yeux au ciel :

— C'est fou que j'aie pu être assez aveugle pour ne m'apercevoir de rien jusqu'à présent, soupira-t-il amèrement. Oui, poursuivit-il en secouant la tête tristement, toutes les pièces du puzzle s'emboîtent parfaitement. Il n'y a rien d'étonnant à ce que vous n'ayez pas les compétences d'une secrétaire. Vous n'êtes pas secrétaire. L'agence n'a jamais entendu parler de vous, n'est-ce pas?

— Non, convint Lisa.

— Et, en fait, je vous ai moi-même permis cette mascarade en vous confondant avec une de leurs intérimaires! marmonna-t-il avec une ironie amère. Et vous n'avez jamais eu mal aux yeux. Vous portiez ces lunettes pour cacher leur couleur, n'est-ce pas?

— Oui, mes yeux ne...

— Et vos deux amies sont une pure invention pour expliquer vos absences à Mitzi. Vous n'avez jamais eu aucune condisciple de l'université à Charleston!

— Pas que je sache...

— Voici pourquoi vous ne connaissez rien de la ville, vous ne l'avez jamais visitée. Pas plus que ses environs! Pas même les Jardins de Brookgreen. C'est pour cela que vous n'aviez pas remarqué les stands de paniers au bord de la route. Vous n'étiez jamais passée devant!

— Très bien! lança Lisa dans un sursaut de défi. Et après?

Ce persiflage la rendait trop malheureuse. Elle ne pouvait plus supporter qu'il la prît pour souffre-douleur et l'accablât de quolibets. Il n'était pas dans sa nature de recevoir des coups sans chercher à les rendre.

Slade pivota sur ses talons et lui fit face, les poings sur les hanches, la toisant d'un regard aigu.

— Le jour où je vous ai trouvée dans mon bureau, soi-disant pour mettre de l'ordre dans mes papiers, vous étiez en réalité en train de fouiller, n'est-ce pas ? Que cherchiez-vous ? Le dossier Talmage ?

— Oui ! fit Lisa avec un mouvement de tête impatient, en retenant les larmes qui lui brûlaient les yeux.

— Pourquoi ? Qu'espériez-vous y gagner ?

— Je voulais savoir ce que vous faites de l'argent de Mitzi, répondit-elle carrément.

— Grand Dieu ! s'exclama Slade qui continua de jurer sauvagement entre ses dents.

— Et que pouvais-je faire d'autre ? s'indigna Lisa. Vous laisser voler jusqu'à son dernier centime ?

Sentant les larmes perler à ses cils, elle détourna la tête et réussit à les retenir en ouvrant grands les yeux et en ravalant la boule qui lui nouait la gorge.

— Et qu'avez-vous découvert dans ce dossier, quand il s'est trouvé entre vos griffes de rapace ? gronda-t-il en montrant les dents.

— Rien ! lança-t-elle dans un souffle. Je n'ai jamais pu aller plus loin que l'ouvrir !

— Et il va continuer d'en être ainsi ! Parce que vous êtes démasquée, et que je ne veux pas voir Lisa Talmage dans ce bureau !

Lisa respira profondément, retint son souffle, puis l'exhala dans un long soupir. Incapable de soutenir son regard inflexible, elle détourna les yeux. Et, dans un sursaut de défi dicté par le désespoir, elle lui jeta d'un ton acide :

— Savez-vous quel est le vrai motif de votre colère, Slade Blackwell ?

— Oui, répliqua-t-il amèrement. D'avoir stupidement attendu de l'honnêteté de la part d'une créature de votre espèce !

Venant de Slade, l'accusation la mortifia. Elle le trouvait très mal placé pour lui jeter la première pierre. Une rage aveugle la saisit, résultat de trop nombreuses émotions contradictoires, et qui éclata dans un discours où la haine et l'amour formaient l'envers et le revers d'une même médaille.

— Oh, non ! Ce n'est pas l'honnêteté qui vous étouffe ! fit-elle en secouant violemment la tête. Ce qui vous reste en travers de la gorge, c'est le coup porté à votre suffisance ! Vous êtes atteint, dans votre fragile orgueil masculin, de ce qu'un être aussi inférieur qu'une femme vous ait dupé. Ce qui vous rend fou, c'est que je vous aie ridiculisé !

L'air menaçant, il avança d'un pas sur elle. Puis, se maîtrisant, mais visiblement avec difficulté, le regard flamboyant de colère, il détailla attentivement le visage pâle de Lisa avant de demander d'une voix vibrante de rage :

— Que cherchez-vous à prouver, Lisa ? Que vous avez le don de me faire perdre mon sang-froid ?

— Non, fit-elle d'un ton pincé. Je veux simplement vous faire admettre la vraie raison de votre fureur.

— Vous tenez réellement à la connaître ? Eh bien ! J'essaie de comprendre comment j'ai pu me laisser aller à me fiancer avec une chipie aussi cupide que vous !

Lisa eut un mouvement de recul, comme s'il l'avait giflée. Elle devint blême et se sentit au bord de la nausée. Ses doigts fouillèrent frénétiquement les poches de sa blouse à la recherche du diamant qu'il lui avait offert.

— Voilà qui peut facilement s'arranger, fit-elle avec la voix rauque d'un animal blessé. Reprenez donc votre bague. Ainsi, vous n'aurez plus besoin de chercher à comprendre !

Pendant le bref instant où elle avait quitté Slade des yeux pour chercher la bague dans ses poches, il avait franchi l'espace qui les séparait. Il s'empara du diamant qu'elle tenait entre ses doigts tremblants et agrippa sa main gauche. Lisa eut beau tenter de se libérer de sa poigne, il était trop fort pour elle. Il arracha l'alliance qu'elle portait à l'annulaire pour la remplacer par le diamant, tout en sifflant entre ses dents :

— Je ne la reprends pas ! Elle va très bien à ce doigt et elle y reste !

— Non !

— Si ! fit-il en la secouant avec violence. En partant d'ici, vous irez tout droit chez Mitzi. Et vous agirez comme si rien ne s'était passé. Parce qu'il n'est rien arrivé. Parce qu'il n'y a rien de changé.

— Vraiment rien ? répliqua-t-elle amèrement.

— Non, rien, fit-il d'une voix tranchante. Et quand j'arriverai, ce soir, vous aurez le comportement ravi de la future épouse que Mitzi s'attend à voir.

— Mais pourquoi ? protesta-t-elle dans un souffle.

— Parce que nous allons nous marier, et vous feriez bien de vous habituer à cette idée. La seule différence, c'est que je suis au courant de vos mensonges. Je ne sais pas... peut-être êtes-vous incapable de ne pas mentir. Mais vous serez ma femme, soyez-en persuadée.

Elle eut une hésitation, mais osa risquer :

— Et l'argent de Mitzi ?

— Ne vous en inquiétez pas, fit-il ironiquement. Quand nous serons mariés, tout ce qui est à moi sera à vous, et réciproquement.

Lisa tressaillit sous le choc.

— Est-ce pour cela que vous m'épousez ?

— Ne me mettez pas cette idée en tête, riposta Slade sèchement. Ou je vais commencer à me demander si vous m'épousez pour cette raison.

— Slade... commença-t-elle d'un ton sérieux.

— Non ! fit-il en la lâchant et en s'éloignant d'elle. Je ne veux plus vous parler avant d'avoir réfléchi à deux ou trois choses. Rentrez chez Mitzi. Je vous fais confiance, fit-il avec un sourire cynique, vous saurez bien trouver une fable motivant votre retour prématuré.

— Vous auriez pu vous dispenser de cette réflexion, protesta-t-elle avec ressentiment.

— Je vous verrai à six heures, dit-il d'un ton dictatorial, sans relever sa remarque. Soyez là.

— J'y serai, répondit-elle d'un ton aussi sec que le sien. Je vous en donne ma parole.

— Je ne veux pas de votre parole ! vociféra-t-il. Je veux seulement que vous soyez là.

Lisa le dévisagea fixement en silence, à travers un brouillard de larmes orgueilleusement retenues, puis alla prendre son sac à main dans le tiroir du bureau. Elle sentait son regard peser sur le moindre de ses mouvements, mais il ne lui dit pas un mot d'adieu quand elle sortit.

Drew était assis sur le coin du bureau de la réceptionniste quand Lisa pénétra dans la pièce. Ils la dévisagèrent. Tous deux brûlaient de curiosité. Sans doute avaient-ils entendu des bribes de sa discussion avec Slade. Tous deux avaient, sans y prendre garde, élevé le ton à plusieurs reprises.

Le regard de Lisa glissa sur eux, et elle s'avança vers la porte de la rue. Drew se leva du bureau.

— Ann... commença-t-il en hésitant.

Lisa se tourna vers lui et soutint son regard interrogateur.

— Mon nom est Lisa Talmage, lança-t-elle.

— Talmage ? demanda-t-il avec, dans la voix, l'expression de son ahurissement.

Mais Lisa ne répondit pas. Elle avait passé la porte et se trouvait dans la rue.

10

Lisa arpentait fébrilement le salon comme un ours en cage. Elle cessa de faire les cent pas à l'entrée de Mitzi. Sa décision était prise. Une décision bien difficile, qui commençait déjà à la glacer d'inquiétude.

— Sla... commença-t-elle d'une voix aiguë qui se brisa. Slade sera là à six heures, Mitzi.

— Oui, fit sa tante d'un ton de patience amusée ; tu me l'as déjà dit plusieurs fois.

— C'est vrai, avoua Lisa en détournant nerveusement les yeux, je me répète. Avec ta permission, j'aimerais tout d'abord lui parler quelques instants en tête à tête.

— Mais bien entendu ! répondit Mitzi dans un éclat de rire. Je ne suis pas encore assez vieille pour avoir oublié ce que ressent une amoureuse qui désire un moment de solitude avec celui qu'elle aime.

— Ce n'est pas exactement de cela qu'il s'agit, commença Lisa d'une voix hésitante. Je désire avoir un tête à tête avec Slade, poursuivit-elle après avoir respiré profondément pour essayer de maîtriser sa nervosité, mais j'aimerais que tu restes dans la pièce voisine.

— Dans la pièce voisine ? répéta Mitzi, ahurie. Mais pourquoi ? Tu ne vas tout de même pas me dire que tu crains d'avoir à m'appeler au secours ?

— Non, je... je désire que tu écoutes notre conversation, répondit Lisa dont les yeux se baissèrent sur ses doigts nerveusement entrelacés.

— Que j'écoute votre conversation ? reprit Mitzi au comble de l'étonnement. Mais pourquoi ?

— Je ne sais pas exactement comment m'expliquer, Mitzi, mais...

Elle s'interrompit et dénoua ses doigts pour les glisser le long de sa tempe, dans l'argent pâle de sa chevelure blonde.

— Dis-le tout de go, la pressa sa tante.

— Je crains que Slade ne... je crains qu'il ne te vole, fit-elle d'une voix étranglée.

— Quoi ? fit Mitzi qui en resta bouche bée de stupéfaction, avant de reprendre avec un froncement de sourcils : Je suppose qu'il s'agit d'une blague ?

Et elle émit un petit rire.

— Comme je le souhaiterais ! déclara Lisa d'un ton accablé. Non, hélas, ce n'en est pas une.

— D'où a bien pu te venir cette idée ridicule ?

— J'avais de vagues soupçons en arrivant ici. Et, quand je lui en ai fait part, il les a confirmés.

Lisa dut détourner la tête vers la fenêtre en écarquillant des yeux pour retenir des larmes brûlantes, tout en ravalant sa salive pour humecter sa gorge desséchée par l'angoisse.

— Je ne peux pas te croire, répondit Mitzi en détachant lentement chaque syllabe.

— J'en étais certaine, répondit Lisa en lui jetant par-dessus son épaule un regard assombri de tristesse. C'est pourquoi je me suis efforcée de chercher une preuve.

— Une preuve ?

Rapidement, afin de n'avoir pas à se lancer dans des explications sur le rôle d'Ann Elridge et sur tous les mensonges faits depuis son arrivée, Lisa enchaîna :

— Je ne te blâme pas de ne pas me croire. C'est

pourquoi j'aimerais que tu écoutes à la porte. Je... J'amènerai de nouveau Slade à avouer.

— Lisa... fit Mitzi en s'avançant vers sa nièce qu'elle prit doucement par les épaules. Tu es vraiment persuadée de cette folie, n'est-ce pas ? demanda-t-elle en la dévisageant attentivement.

— Oui, murmura Lisa.

Elle avait chuchoté cette brève syllabe en desserrant à peine les dents, bloquant sa respiration pour ne pas la laisser échapper dans un sanglot.

— Mais, à midi... tu as accepté sa bague ? Tu as accepté de l'épouser ?

— Je crains d'être vraiment amoureuse de lui, Mitzi, répondit Lisa avec un semblant de sourire tremblotant. N'est-ce pas là un comble ? fit-elle en s'essayant à rire de sa folie.

Mais ce fut un rire creux et sans joie.

— Il y a un malentendu quelque part, j'en suis certaine, décréta Mitzi. Slade... commençait-elle quand elle fut interrompue par la sonnerie de la porte.

— Le voilà, dit Lisa en se raidissant. Ecouteras-tu à la porte ? implora-t-elle.

Mitzi plissa les lèvres d'un air songeur, avant de hocher la tête pour signifier un consentement accordé à contrecœur. Ce qu'elle souligna par cette remarque :

— Mais, j'en suis convaincue, Lisa, tu t'es trompée sur Slade d'une façon ou d'une autre.

— Comme je souhaiterais que tu aies raison ! répondit la jeune fille avec un gros soupir.

Mitzi lui pressa affectueusement les épaules avant de la lâcher et annonça :

— Je vais ouvrir à Slade et je te l'envoie. Je resterai sur le seuil.

Dans un instant de couardise, avant de voir Mitzi sortir du salon, Lisa fut tentée de lui annoncer qu'elle renonçait à cette mise en scène. Mais elle n'en fit rien ;

elle pensait agir pour le bien de sa tante tout autant que pour celui de Slade. Elle respira profondément, essuya les larmes qui perlaient à ses cils. Elle faisait face à la porte quand Slade apparut.

Il avança de quelques pas à l'intérieur du salon et s'immobilisa. Ses yeux noirs fixèrent sur elle un regard inexpressif. Ses traits burinés restaient figés en un masque d'indifférence. Lisa sentit pourtant le rythme de son cœur s'accélérer en le voyant, si grand et si rayonnant de vitalité. Rien ne pouvait atténuer le pouvoir magnétique exercé sur elle par la virilité qu'il dégageait.

— Je vois que vous êtes là, fit-il sèchement.

— Je vous avais dit que j'y serais, lui rappela-t-elle, sur la défensive.

— C'est vrai, convint-il d'un ton ironique. Mais votre langue perfide m'a raconté tellement de sornettes, au cours de ces deux ou trois derniers jours, qu'il m'était permis d'en douter. J'ai besoin d'un verre, marmonna-t-il en se détournant pour se diriger à longues enjambées vers le bar roulant.

Après avoir tressailli de douleur sous l'effet de son sarcasme cinglant, Lisa se raidit dans une attitude de statue et le regarda en silence mettre des glaçons dans un verre. Les yeux de Slade revinrent se poser sur elle.

— Vous aussi, vous avez l'air d'avoir besoin d'un verre, dit-il peu courtoisement.

— Non.

Mais il entreprit de la servir sans se préoccuper de son refus. Elle jeta un coup d'œil de biais sur la porte derrière laquelle elle savait Mitzi à l'écoute. Elle prit une profonde inspiration pour se donner du courage et s'avança d'une démarche raide vers le bar roulant.

— Slade, nous avons à parler, dit-elle d'un ton nerveux.

— Voilà, fit-il en lui tendant un verre contre les parois duquel cliquetèrent les glaçons.

— Je n'en veux pas, refusa de nouveau Lisa.

— Prenez-le, aboya-t-il.

Sa colère n'était pas retombée. Il la dominait mieux, c'était tout. Elle prit le verre qu'il lui tendait plutôt que de se laisser entraîner dans une discussion sur un sujet futile. Les parois glacées lui semblèrent au diapason du bloc de glace qui lui serrait le cœur.

— Nous avons à parler, Slade, répéta-t-elle.

— Oui, fit-il d'un ton sinistre, avant d'avaler une longue gorgée d'alcool. Bob Turner est de retour, reprit-il en lui jetant un regard homicide. Vous ne l'avez pas rencontré, je le sais, mais Drew a dû vous parler de lui. Il est le troisième associé de mon cabinet juridique. Je me suis arrangé afin que nous puissions partir demain pour Baltimore. Ainsi, je pourrai faire la connaissance de vos parents avant notre mariage.

— Slade… voulut intervenir Lisa.

Ce n'était pas du tout ce dont elle avait l'intention de parler. Mais Slade ne prêta pas la moindre attention à sa tentative d'interruption et poursuivit :

— Je tiens à ce que la cérémonie ait lieu dans la plus stricte intimité. En la seule présence des proches parents. Vous préférerez, je suppose, qu'elle soit célébrée à Baltimore où se trouve votre famille. Je ne vois rien qui puisse empêcher de la faire d'ici une semaine.

— Arrêtez ! dit-elle.

Son regard se voilait de larmes qui mettaient un éclat sombre dans le vert olive de ses pupilles.

— Je n'arrêterai rien ! lança-t-il tandis qu'une lueur dans ses yeux révélait toute l'intensité de sa colère retenue. Nous allons nous marier, Lisa.

— Il y a autre chose dont il nous faut parler.

— Comme, par exemple ? demanda-t-il d'un ton

sarcastique, tandis que ses yeux retrouvaient leur froideur.

Il avait remarqué les larmes qui brouillaient le regard de Lisa, mais son visage buriné ne montrait pas le plus petit signe d'attendrissement.

— De Mitzi, répondit-elle d'une voix étouffée.

Il fit tourner son verre et regarda fixement le mouvement des glaçons dans l'alcool.

— A quel propos ? demanda-t-il avec détachement. Elle sera invitée au mariage, bien entendu.

— Vous savez bien que ce n'est pas ce dont je veux parler, lui lança Lisa avec nervosité.

— Non, n'est-ce pas ? répliqua-t-il aigrement. Quand il s'agit de Mitzi, c'est toujours son argent qui vous préoccupe. Je vous ai déjà dit, cet après-midi, de ne plus vous en inquiéter. Vous verrez, les choses s'arrangeront d'elles-mêmes quand nous serons mariés. J'en prends toute la responsabilité dès maintenant.

— Combien...

Elle avait peine à formuler sa question.

— Combien lui avez-vous pris jusqu'ici ?

— Que vous arrive-t-il, Lisa ? demanda-t-il, les lèvres retroussées dans un sourire sarcastique, tout en levant son verre jusqu'à sa bouche. Vous craignez que je ne vous verse pas votre part ?

Lisa blêmit mais refusa de se laisser détourner.

— Combien ? insista-t-elle.

Slade vida son verre d'un trait et, sans lever les yeux, questionna :

— Attachez-vous vraiment une telle importance à l'argent, Lisa ?

— Pas vous ? contre-attaqua-t-elle.

— Bon Dieu, Lisa ! fit-il en posant son verre sur le bar roulant, avec une violence contenue qui fit trembler les bouteilles. Je...

— Pardonne-moi, Lisa, interrompit depuis le seuil

la voix de Mitzi, vibrante d'un rire retenu. Je n'arrive pas à comprendre si ce que je viens d'écouter est une tragi-comédie ou une comédie tragique !

Slade fit face à Lisa qui s'était tournée vers Mitzi d'un air atterré. Il la toisait avec une expression de rage froide.

— C'est vous qui avez persuadé Mitzi d'écouter à la porte ! accusa-t-il avec violence.

— Oui, répondit-elle dans un souffle.

— Lisa est venue, cet après-midi, me raconter cette bêtise que vous me voleriez, expliqua Mitzi, avec un sourire indulgent vers sa nièce. J'ai vainement cherché à lui démontrer tout le grotesque de cette idée, mais elle n'a rien voulu entendre. J'ai donc accepté d'écouter aux portes. De ma vie, je n'avais entendu pareilles fariboles !

— J'ai essayé d'agir au mieux, se défendit Lisa.

— Au mieux pour qui ? rétorqua Slade dont la bouche avait blêmi de colère. C'est sans importance, fit-il en se détournant brusquement. Je peux le deviner.

— Lisa est persuadée d'agir pour votre bien, intervint Mitzi dont la voix révélait un grand amusement. J'ignore à quoi vous jouez, Slade, mais il serait temps, je pense, de poser vos cartes sur la table. Vous mettez cette pauvre fille au supplice.

— Je m'en doute, railla-t-il en se passant nerveusement une main derrière la nuque.

Le téléphone sonna. Le bruit du pas traînant de la gouvernante qui allait répondre à l'appareil résonna dans le hall. Lisa observait la silhouette tendue de Slade et songeait avec douleur à ce qu'il devait penser : qu'elle l'avait dénoncé dans le but de conserver à son seul profit les faveurs de Mitzi.

— C'est pour vous, Mitzi, appela la gouvernante.

Sa tante jeta à Lisa un bref coup d'œil, accompagné d'un sourire d'encouragement qui semblait vouloir l'assurer que tout se passerait bien. Lisa souhaitait pouvoir la croire. Quand Mitzi eut refermé la porte derrière elle, Slade lança dans un profond soupir :

— Je n'arrive pas à croire que vous ayez vraiment fait cela, Lisa !

— Et qu'aurais-je pu faire d'autre? riposta-t-elle dans un élan de frustration. Je ne pouvais pas vous laisser continuer à la voler !

— Non, vous ne pouviez pas faire cela ! rétorqua-t-il sarcastiquement. Il aurait pu ne rien rester pour vous !

— Qu'est-ce que cela peut bien faire, Slade ? Elle ne me croit pas.

— Dieu merci ! murmura-t-il.

— Quand bien même m'aurait-elle crue, elle vous aurait pardonné. J'ignore combien vous lui avez pris, Slade. Mais rendez-le-lui. Mitzi vous aime presque autant que je vous aime. Elle ne vous dénoncerait pas si vous lui rendiez tout l'argent que vous avez détourné.

— Quoi? fit Slade qui se retourna, les sourcils froncés, et observa les yeux verts suppliants tournés vers lui.

— Je peux vous aider. Je peux trouver un travail ici, à Charleston, et gagner...

Elle n'eut pas le temps de terminer son offre. Slade avait franchi rapidement l'espace qui les séparait et, la tenant par les épaules tout en la regardant fixement, demandait :

— Qu'est-ce que vous dîtes ? Je croyais que vous en vouliez à l'argent de Mitzi ?

— Non, je n'ai fait que le prétendre...

— Vous voulez dire que vous avez menti à ce sujet-là aussi ! s'exclama-t-il tandis que son froncement de sourcils se transformait en un sourire d'incrédulité.

Bouleversée par le contact des mains de Slade sur ses épaules, Lisa avait du mal à coordonner le fil de ses idées. Elle regarda fixement le col de sa chemise pour ne pas se laisser troubler par le regard sombre qui la dévisageait.

— Essayez de me comprendre, Slade. Si je vous ai laissé imaginer que j'en voulais à l'argent de Mitzi, c'était dans l'espoir que vous laisseriez échapper une confidence me donnant la preuve recherchée. Mitzi, je le savais, ne me croirait pas sans preuve : elle a trop d'affection pour vous. Il ne m'était pas venu à l'esprit que je puisse, moi aussi, venir à en éprouver.

Les épaules de Slade se mirent à trembler sous ses yeux ; elle n'osait pas relever la tête, craignant de voir des larmes ruisseler sur le visage altier.

— ... Pas davantage continua-t-elle, que je n'aurais pensé tomber amoureuse de vous. Rendez-lui son argent, Slade. Nous n'en avons pas besoin.

Elle entendit le début d'un grondement sourd et ferma les yeux en pensant qu'il allait pousser un gémissement de douleur et de remords. Mais le grondement explosa dans un grand éclat de rire chaleureux et plein de joie. N'en croyant pas ses oreilles, elle leva les yeux sur le visage de Slade dont les lèvres autoritaires s'étiraient dans un large sourire.

— Je ne vois pas ce qu'il y a de comique dans ce que je viens de dire ! lança-t-elle avec un soupçon de mauvaise humeur.

— Vraiment ? fit-il en observant le visage indigné de Lisa avec un regard brillant dans lequel dansaient des étincelles amusées. Oh, Lisa ! mais je n'ai jamais détourné un sou de l'argent de Mitzi !

— Le Ciel soit loué ! fit-elle avec un profond soupir de soulagement.

— Et qui plus est...

Il s'interrompit pour glisser un doigt sous le menton de Lisa afin de relever son visage vers lui.

— Je n'ai jamais eu l'intention de lui prendre de l'argent, acheva-t-il.

— Mais... hésita-t-elle avec un froncement de sourcils, vous disiez...

— Je n'ai jamais dit l'avoir fait, lui rappela Slade doucement. Tu avais l'air tellement convaincue. Je n'ai simplement rien fait pour te détromper.

Lisa souhaitait désespérément le croire. Mais, pour chasser ses derniers doutes, elle demanda encore :

— Mais tu m'avais proposé de conclure une alliance ?

— Parce que je pensais que tu en voulais à l'argent de Mitzi. Je me suis pris d'une très grande affection pour ta tante, au cours de ces dernières années. Je voulais la protéger contre toi. Pendant que toi, tu t'efforçais de la défendre contre moi.

— Oh ! fit-elle avec un soupir qui se transforma en sourire. Oh, Slade !

Elle se mit à rire en songeant à l'absurdité de tout l'imbroglio. Les bras de Slade l'enlacèrent, pendant que son rire se joignait au sien. Serrée contre lui et délirante de bonheur, Lisa retrouvait enfin toute sa joie de vivre.

— Nous faisons une belle paire de menteurs ! chuchota Slade en frôlant son oreille de ses lèvres.

— Mais je n'ai jamais menti sur mes sentiments pour toi, dit-elle en levant vers lui un visage rayonnant de bonheur. Je n'ai jamais menti en disant que je t'aime.

— Moi non plus, je n'ai jamais menti en disant que je t'aime, assura-t-il pendant que ses lèvres se rapprochaient de celles de Lisa.

Étude du LION

par Madame HARLEQUIN

(23 juillet-22 août)

Signe de Feu
Maître planétaire : Soleil
Pierres : Diamant, Topaze
Couleurs : jaune, or
Métal : Or

Traits dominants :

Fierté, loyauté
Tempérament de feu, abondante vitalité
Se dévoue sans compter
pour les causes qu'il défend

LION
(23 juillet-22 août)

Lisa est un personnage entêté. Elle a décidé de prouver le bien-fondé de ses soupçons et ne recule devant aucune supercherie pour y parvenir. C'est bien là l'une des caractéristiques des natifs du Lion qui ne font jamais les choses à moitié.

Sa loyauté envers sa tante ne connaît pas de limites ; aussi notre héroïne n'hésite-t-elle pas à mettre en danger ses fiançailles, dans le seul but de démasquer la supposée vilenie de Slade Blackwell.

Mais ce Lion généreux ne se sera pas battu en vain : la vérité éclatera enfin au grand jour.